#홈스쿨링
#혼자공부하기

똑똑한
하루 사회

Chunjae
Makes
Chunjae

▼

똑똑한 하루 사회 4-2

편집개발 조미연, 윤순란, 김민경, 박진영
디자인총괄 김희정
표지디자인 윤순미, 박민정
내지디자인 박희춘, 한유정, 우혜림
본문 사진 제공 연합뉴스
제작 황성진, 조규영

발행일 2021년 6월 1일 초판 2021년 6월 1일 1쇄
발행인 (주)천재교육
주소 서울시 금천구 가산로9길 54
신고번호 제2001-000018호
고객센터 1577-0902

똑 똑 한

하루
사회

4-2

똑똑한 하루 사회
어떤 책인지 알면 공부가 더 재미있어.

핵심 용어

· 핵심 용어만 쏙!
· 한자와 예문으로 이해 쏙쏙!
· 그림으로 기억력 UP!

1일~4일 학습

개념 동영상

빠른 정답 보기

· '❶ 개념 만화 → ❷ 개념 익히기 → ❸ 개념 확인하기' 3단계로 하루 학습
· 하루 6쪽, 4주면 한 학기 공부 끝!

5일 마무리 학습

❶ 핵심 개념

❷ 문제

· '❶ 핵심 개념 → ❷ 문제' 2단계로 하루 학습

특강

누구나 100점 TEST

생활 속 사회 / 사고 쑥쑥 / 논리 탄탄

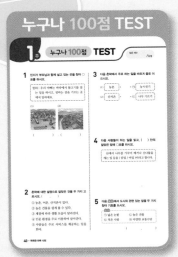

· 한 주에 배운 내용을 확인하는 누구나 100점 맞는 TEST
· 재미있고 새로운 유형의 특강으로 창의력, 사고력, 논리력 UP!

재미있게 똑똑해지네?

하루하루
조금씩 기초부터 쌓다 보면 어느새 자신감이 생겨.

똑똑한 하루 사회 차례

경제적 교류와 문화의 다양성

사회 변화와 우리 생활

똑똑한 하루 사회를 함께할 친구들

한봄

활동적이고
인기가 많은
학급 반장

남가을

게임을 좋아하고
신중한 성격의
어린이

빗자루

게임 속
봄이와 가을이를
도와주는 파트너

트래쉬 킹

게임 속 세상을
지배하고 있는
악당

촌락과 도시의 생활 모습

1주에는 무엇을 공부할까? ❶

▲ 촌락의 모습

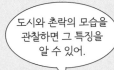
도시와 촌락의 모습을 관찰하면 그 특징을 알 수 있어.

▲ 도시의 모습

농촌
어촌
산지촌
— 종류

농업
어업
임업
— 하는 일

촌락 ←교류→ 도시

특징

하는 일

촌락과 도시는 서로 교류하며 의존하고 있어.

▲ 어업

▲ 공장에서 물건을 만드는 일

사람들이 사는 곳은 크게 촌락과 도시로 나뉘는데 두 지역의 생활 모습은 어떻게 다른지 살펴보자.

1주에는 무엇을 공부할까? ❷

촌락
村落
마을 촌 떨어질 락

> 촌락은 도시보다 한적하지.

똣 농촌, 어촌, 산지촌처럼 자연환경을 주로 이용하여 살아가는 지역

예 생산 활동에 따라 **촌락**은 여러 지역으로 나뉜다.

> 촌락을 보면 사람들이 다양한 곳에서 살아간다는 것을 알 수 있어.

농촌
農村
농사 농 마을 촌

> 벌써 벼를 수확할 때가 됐네.

똣 농사짓는 땅을 이용하여 생산 활동을 하는 곳

예 농업을 주로 하는 곳은 **농촌**이다.

어업
漁業
고기 잡을 어 업 업

> 바다는 우리의 일터지.

똣 바다에서 물고기를 잡거나 기르고, 김과 미역을 기르는 일

예 양식업은 **어업**에 속한다.

도시
都市
도읍 도 저자 시

> 우와, 사람이 너무 많아.

똣 인구가 밀집해 있고 사회, 정치, 경제 활동의 중심이 되는 곳

예 교통 시설이 발달한 곳에 **도시**가 발달해 있다.

촌락과 도시의 모습은 많이 다르기 때문에 비교해서 이해하는 것이 좋아. 촌락과 도시의 특징과 관련 있는 용어를 꼭 기억해!

1주

일손

요즘 촌락에 젊은 사람이 없어서 힘들어.

뜻 일을 하는 사람

예 농촌에 **일손**이 모자라서 농사짓기가 힘들어졌다.

귀촌

歸 村
돌아갈 **귀** 마을 **촌**

촌락으로 이사가요.

뜻 도시에 살던 사람들이 촌락으로 삶의 터전을 옮기는 것

예 촌락에서는 **귀촌**을 하려는 사람들을 적극 지원하고 있다.

직거래 장터에 가면 믿을 수 있는 농수산물을 싸게 살 수 있어.

직거래 장터

直 去 來
곧을 **직** 갈 **거** 올 **래**

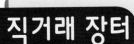

촌락과 도시 모두에게 좋은 장터예요.

뜻 살 사람과 팔 사람이 직접 거래하는 장이 서는 터

예 촌락 사람들이 **직거래 장터**에서 농수산물을 팔면 더 비싼 값에 팔 수 있다.

와, 촌락은 아름다운 자연환경이 주변에 많아서 좋다!

촌락의 매력을 이제 안 거야?

1일 촌락의 특징

안녕? 촌락은 처음이지?

용어 체크

촌락

농촌, 어촌, 산지촌처럼 자연환경을 주로 이용하여 살아가는 지역

예 계절이나 날씨에 따라 [①]의 생활 모습이 달라진다.

농촌

농사짓는 땅을 이용하여 생산 활동을 하는 곳

예 수로, 저수지 등은 주로 [②]에서 볼 수 있는 시설이다.

정답 ① 촌락 ② 농촌

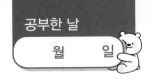

촌락은 날씨의 영향을 많이 받는구나!

용어 체크

⊙ 어촌

바다를 이용하여 생산 활동을 하는 곳

예 어업에 종사하는 사람들은 ❶ [   ] 에서 주로 볼 수 있다.

⊙ 산지촌

산을 이용하여 생산 활동을 하는 곳

예 높고 깊은 산 주변에는 ❷ [   ] 이 형성되어 있다.

정답 ❶ 어촌 ❷ 산지촌

1 농촌과 어촌은 어떤 특징이 있을까?

농촌

정미소 ⌐ 쌀을 찧는 일을 전문적으로 하는 곳

비닐하우스

수로

농사짓는 땅을 이용하여 생산 활동을 하는 곳

농업

논이나 밭을 이용하여 인간 생활에 필요한 식물을 가꾸거나 유용한 동물을 기르는 일

> 농촌과 어촌은 하는 일이 달라.

어촌

부두

등대

방파제

바다를 이용하여 생산 활동을 하는 곳

어업

바다에서 물고기를 잡거나 기르고, 김과 미역을 기르는 일

☑ 농촌은 농사짓는 땅을 이용해서 생산 활동을 하고, 어촌은 ❶(저수지 / 바다)를 이용해서 생산 활동을 합니다.

2 산지촌은 어떤 특징이 있을까?

산지촌

계단식 논

목장

목재 생산

임업

산을 이용하여 생산 활동을 하는 곳

산에서 나무를 가꾸어 베거나 산나물을 캐는 일

✓ 산지촌은 ❷(산 / 강)을 이용해서 생산 활동을 합니다.

3 촌락은 무엇일까?

촌락에서는 날씨를 중요하게 여겨.

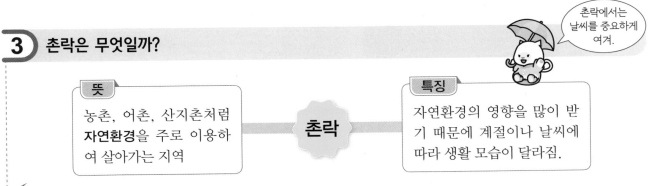

뜻

농촌, 어촌, 산지촌처럼 **자연환경**을 주로 이용하여 살아가는 지역

촌락

특징

자연환경의 영향을 많이 받기 때문에 계절이나 날씨에 따라 생활 모습이 달라짐.

✓ 촌락은 주로 ❸(자연환경 / 인문 환경)을 이용하여 살아가는 지역입니다.

정답 ❶ 바다 ❷ 산 ❸ 자연환경

🐻 개념 체크

정답과 풀이 1쪽

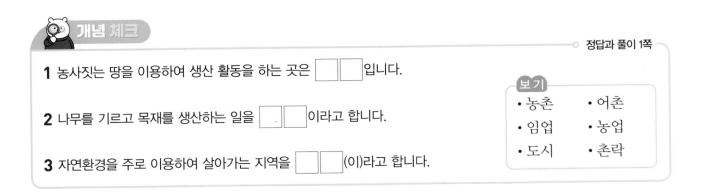

1 농사짓는 땅을 이용하여 생산 활동을 하는 곳은 ☐☐입니다.

2 나무를 기르고 목재를 생산하는 일을 ☐☐이라고 합니다.

3 자연환경을 주로 이용하여 살아가는 지역을 ☐☐(이)라고 합니다.

보기
• 농촌   • 어촌
• 임업   • 농업
• 도시   • 촌락

1 민준이네 이모가 사는 곳은 어디입니까? (   )

> 민준이네 이모는 넓은 논에서 농사를 지으시는데, 요즘은 벼를 수확하는 철이라 매우 바쁘다고 하십니다.

① 도시   ② 농촌   ③ 어촌

④ 관광지   ⑤ 산지촌

2 다음 그림의 촌락에서 볼 수 있는 것을 두 가지 고르시오. (,   )

① 등대
② 바다
③ 갯벌
④ 수로
⑤ 비닐하우스

3 다음 그림의 촌락에서 사람들이 주로 하는 일은 어느 것입니까? (   )

① 산나물을 캔다.
② 산에서 목재를 생산한다.
③ 바다에서 물고기를 잡는다.
④ 과수원에서 과일을 수확한다.
⑤ 논을 이용해서 식물을 가꾼다.

4 어촌과 산지촌에 대한 알맞은 설명을 찾아 바르게 줄로 이으시오.

(1) 어촌 •

(2) 산지촌 •

• ㉠ 산을 이용하여 생산 활동을 하는 곳

• ㉡ 바다를 이용하여 생산 활동을 하는 곳

5 촌락에 대한 설명으로 알맞은 것은 어느 것입니까? (   )

① 어촌은 촌락에 포함되지 않는다.
② 계절의 영향을 많이 받지 않는다.
③ 산지촌은 촌락에 포함되지 않는다.
④ 날씨에 따라 생활 모습이 달라진다.
⑤ 인문 환경을 주로 이용하여 살아간다.

🐻 똑똑한 **하루 퀴즈**

6 다음에서 설명하는 낱말을 말 상자에서 찾아 모두 ○표를 하세요. 말 상자의 낱말은 가로, 세로, 대각선에 숨어 있어요.

산	차	늘	⭐	오
지	농	⭐	마	주
촌	업	파	농	⭐
⭐	훈	유	송	촌
나	바	다	정	⭐

1️⃣ 논이나 밭을 이용하여 인간 생활에 필요한 식물을 가꾸는 일
2️⃣ 어촌은 주로 ☐☐를 이용하여 생산 활동을 함.
3️⃣ 산을 이용하여 생산 활동을 하는 곳
4️⃣ 촌락에는 ☐☐, 어촌, 산지촌 등이 있음.

2일 도시의 특징

😤 **여기가 도시야?**

🐻 **용어 체크**

📍 **도시**

인구가 밀집해 있고 사회, 정치, 경제 활동의 중심이 되는 곳

예 촌락보다 많은 사람이 모여 살고 있는 곳은 ❶ ⬜⬜ 이다.

📍 **일자리**

생계를 꾸려 나갈 수 있는 수단으로서의 직업

예 산업이 발전하면 새로운 ❷ ⬜⬜ 가 많이 생긴다.

정답 ❶ 도시 ❷ 일자리

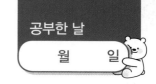
만화로 재미있게 **개념** 쏙쏙! **용어** 쏙쏙!

 ## 다양한 도시가 있구나!

1주

◉ **수도**

한 나라의 으뜸이 되는 도시

예 서울특별시는 우리나라의 [①   ]
이다.

◉ **세종특별자치시**

충청남도의 동북쪽, 충청북도의 서쪽에 접하는 특별자
치시로, 행정의 중심지로 계획하여 만든 도시

예 우리나라의 행정 기능을 분산하는 역할을 하기
위해 [②   ]를 만들었다.

정답 ① 수도 ② 세종특별자치시

1 도시에서 볼 수 있는 모습은 무엇일까?

> 도시에는 많은 사람이 모여 살고, 공간이 좁기 때문에 사진과 같은 모습을 볼 수 있어.

높은 건물

크고 작은 도로

도시

많은 사람

다양한 교통수단

☑ 도시에서는 높은 건물, ❶(적은 / 많은) 사람, 다양한 교통수단 등을 볼 수 있습니다.

2 도시에는 어떤 일자리가 있을까?

> 다양한 공공 기관, 공원, 미술관과 같은 시설에서 일해.

> 물건이나 음식을 팔거나 다양한 서비스를 제공해.

> 회사에서 일하거나 공장에서 물건을 만들기도 해.

시청

시장

공장

☑ 도시에 사는 사람들은 회사에 다니기도 하고, ❷(논과 밭 / 공공 기관)이나 문화 시설에서 일하기도 합니다.

3 도시는 어디에 위치하고 있을까?

도시는 교통이 발달하여 이동이 편리한 곳, 회사나 공장이 있어 일자리가 많은 곳, 정치의 중심이 되는 곳 등에 주로 위치해.

서울특별시

도로·철도 교통의 중심지로 우리나라의 수도

세종특별자치시

행정의 중심지로 새롭게 계획하여 만든 도시

전라남도 여수시

항구 도시이며 큰 공장들이 있어 산업이 발달한 도시

부산광역시

철도 교통, 해상 교통이 발달한 도시

☑ 도시는 교통 시설이 발달³ (한 / 하지 않은) 곳, 산업이 발달한 곳 등에 위치합니다.

정답 ❶ 많은 ❷ 공공 기관 ❸ 한

🐼 개념 체크

○ 정답과 풀이 1쪽

1 많은 사람, 높은 건물 등을 볼 수 있는 곳은 ☐☐ 입니다.

2 도시에 사는 사람들은 주로 ☐☐ 에서 일을 합니다.

3 해상 교통이 발달한 도시는 ☐☐ 광역시입니다.

보기
- 촌락
- 도시
- 회사
- 논밭
- 대전
- 부산

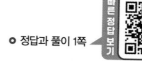
1 다음에서 설명하는 말은 어느 것입니까? (   )

> • 인구가 밀집해 있는 곳입니다.
> • 사회, 정치, 경제 활동의 중심이 되는 곳입니다.

① 촌락   ② 도시   ③ 농촌

④ 어촌   ⑤ 유적지

2 도시에서 주로 볼 수 있는 모습으로 알맞은 것을 찾아 기호를 쓰시오.

ㄱ

▲ 높은 건물

ㄴ

▲ 넓은 논밭

ㄷ

▲ 비닐하우스

(   )

3 도시의 특징으로 알맞지 <u>않은</u> 것은 어느 것입니까? (   )

① 다양한 일자리가 있다.

② 다양한 교통수단이 발달했다.

③ 크고 작은 도로가 연결되어 있다.

④ 사회, 정치, 경제 활동의 중심이 되는 곳이다.

⑤ 사람들이 없는 한적한 모습을 많이 볼 수 있다.

4 다음 ○× 퀴즈의 정답을 알맞게 적은 어린이를 쓰시오.

> **도시의 일자리에 대한 ○× 퀴즈**
> (1) 도시에 사는 사람들은 서비스를 제공하는 일을 많이 합니다.
> (2) 도시에 사는 사람들은 자연환경에서 생산물을 얻는 일을 많이 합니다.

▲ 노은   ▲ 지한

(   )

집중 연습 문제 **도시의 위치**

5 다음 지도에서 우리나라의 수도를 찾아 기호를 쓰시오.

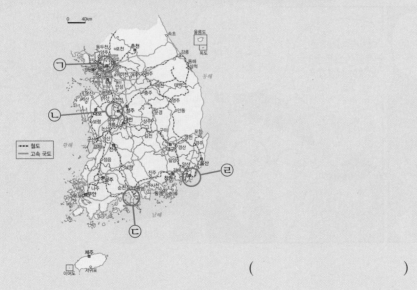

(   )

우리나라의 수도는 교통이 편리하고 사람들이 많이 모여 살아.

ⓒ, ② 에 해당하는 도시를 써 볼까?

- ⓒ ➡ ◯◯ 시
- ② ➡ ◯◯ 광역시

6 위 **5**번 지도에서 새롭게 계획하여 만든 도시의 기호와 이름이 바르게 짝 지어진 것은 어느 것입니까? (   )

① ㉠ – 부산광역시
② ㉡ – 세종특별자치시
③ ㉡ – 서울특별시
④ ㉢ – 전라남도 목포시
⑤ ㉣ – 인천광역시

3_일 촌락과 도시의 문제 해결

도시에서 촌락으로 이사 가는 사람들이 있다고?

용어 체크

◆ 귀촌

도시에 살던 사람들이 촌락으로 삶의 터전을 옮기는 것

예 최근에 촌락으로 ❶□□□ 을 하는 사람들이 많아지고 있다.

◆ 고령화

전체 인구에서 노인이 차지하는 비율이 높아지는 현상

예 촌락에 사는 노인의 인구는 ❷□□□ 현상으로 인해 조금씩 늘어나고 있다.

정답 ❶ 귀촌 ❷ 고령화

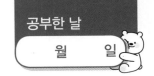
도시의 쓰레기를 치웁시다.

용어 체크

◉ 분리배출

쓰레기 따위를 종류별로 나누어서 버림.

예 쓰레기를 버릴 때에는 [❶　　　　　]을 해야 한다.

◉ 캠페인

사회·정치적 목적 따위를 위하여 조직적이고도 지속적으로 행하는 운동

예 초등학교 앞에서 시민 단체가 교통안전 [❷　　　　　]을 벌이고 있다.

정답 ❶ 분리배출 ❷ 캠페인

3일 개념 익히기

▶ 개념 동영상

1 촌락 문제를 해결하기 위한 노력은 무엇일까?

농기계 사용하기

고령화 현상으로 촌락에 사는 노인 인구는 늘어나고 있지만 어린이의 수는 줄어들고 있음.

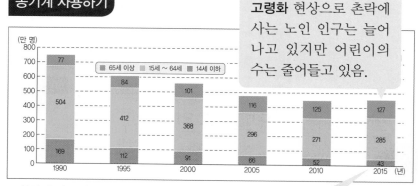

(만 명)

	65세 이상	15세 ~ 64세	14세 이하
1990	77	504	169
1995	84	412	112
2000	101	368	91
2005	116	296	66
2010	125	271	52
2015	127	285	43

▲ 촌락의 인구 변화

촌락의 인구가 점점 줄어들어 일손 부족 현상이 나타남.

농기계를 이용하여 일손 부족 문제를 해결하고 생산량도 늘리고 있음.

품질 좋은 농수산물 생산하기

외국에서 값싼 농수산물이 들어오면서 농수산물 가격이 내려가고 있음.

킹스베리 →

품질 좋은 농수산물을 생산하여 소득을 높이려고 노력하고 있음.

귀촌 지원하기

최근 도시에서 촌락으로 이사하는 귀촌 인구가 늘어나고 있음.

지역 사회는 촌락에 잘 적응하도록 적극적으로 지원하고, 정보를 제공함.

촌락 문제를 해결하기 위해 ❶(노동력 / 농기계) 활용, 품질 좋은 농수산물 생산 등을 하고 있습니다.

2 도시 문제를 해결하기 위한 노력은 무엇일까?

도시 문제가 발생하는 원인

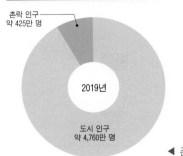

촌락 인구
약 425만 명

2019년

도시 인구
약 4,760만 명

◀ 촌락과 도시의 인구

우리나라는 전체 인구 중 도시에 사는 인구가 매우 많기 때문에 여러 가지 문제가 발생해.

신문에 나타난 도시의 문제 예 쓰레기 문제와 해결 노력

○○신문   20△△년 △△월 △△일

○○시 쓰레기 대란 '위기'… 쓰레기 매립장 넘쳐   돌이나 흙, 쓰레기 따위로 메워 올리는 우묵한 땅

○○시 쓰레기 매립장에 들어오는 쓰레기는 하루에 수백 톤에 달한다. 현재 들어오는 양으로 볼 때 내년 5월이면 쓰레기 매립장에 더 이상 쓰레기를 묻을 곳이 없게 된다.

개인의 노력	친구나 이웃과 함께하는 노력	공공 기관에서 할 수 있는 노력
쓰레기를 줄이고, 쓰레기를 분리배출함.	쓰레기 줄이기 캠페인을 함.	분리배출 시설을 만들고, 지키지 않을 때 과태료를 내게 함.

☑ 도시 문제를 해결하려고 ②(공공 기관 / 개인)은 쓰레기 분리배출 시설을 만듭니다.

정답 ❶ 농기계 ❷ 공공 기관

🐻 개념 체크

정답과 풀이 2쪽

1 촌락에 사는 ☐☐ 인구는 조금씩 늘어나고 있습니다.

2 귀촌은 도시에 살던 사람들이 ☐☐으로 이사하는 것입니다.

3 도시에 사는 사람들이 많아서 도시에서 ☐☐☐ 문제 등이 나타납니다.

보기
• 노인   • 아동
• 외국   • 촌락
• 쓰레기   • 정보화

1 다음 인구 변화에 대한 그래프를 보고, ( ) 안의 알맞은 말에 ○표를 하시오.

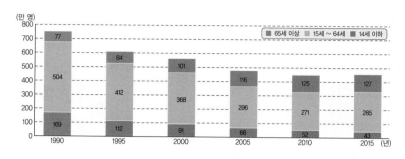

위 그래프는 (촌락 / 도시)에서 나타나는 인구 변화의 모습을 나타낸 것입니다.

2 다음 중 촌락 문제에 대해 바르게 말하고 있는 어린이는 누구인지 쓰시오.

일손이 모자라서 농사짓기가 힘들어요.
▲ 세형

우리나라 농산물에 비해 외국 농산물이 너무 비싸요.
▲ 민우

젊은 사람들이 너무 많아서 일자리가 모자라요.
▲ 나래

( )

3 귀촌하는 사람들을 위해 정부나 지역 사회에서 하는 일을 두 가지 고르시오. (,)

① 촌락 생활에 대한 정보를 제공한다.

② 촌락에 잘 적응할 수 있도록 지원한다.

③ 도시 생활의 좋은 점에 대해 알려 준다.

④ 귀촌 가구 수가 더 많아지지 않도록 조절한다.

⑤ 삶의 터전을 옮기는 것은 옳지 않다고 설명한다.

4 다음 신문 기사와 같은 문제가 발생하게 된 까닭을 바르게 말한 어린이는 누구인지 쓰시오.

○○신문   20△△년 △△월 △△일

○○시 쓰레기 대란 '위기' … 쓰레기 매립장 넘쳐
　○○시 쓰레기 매립장에 들어오는 쓰레기는 하루에 수백 톤에 달한다. 현재 들어오는 양으로 볼 때 내년 5월이면 쓰레기 매립장에 더 이상 쓰레기를 묻을 곳이 없게 된다.

> 서국 : 요즘 귀촌하는 사람들이 많이 늘어났기 때문이에요.
> 동한 : 쓰레기를 줄이려는 노력을 지속하고 있기 때문이에요.
> 다은 : 우리나라 전체 인구 중 도시에 사는 인구가 너무 많기 때문이에요.

(　　　　　　　　　)

5 쓰레기 문제를 해결하는 노력 중 개인의 노력으로 알맞지 <u>않은</u> 것은 어느 것입니까?

(　　　　　)

① 쓰레기를 분리배출한다.
② 쓰레기를 줄이려고 노력한다.
③ 쓰레기를 함부로 버리지 않는다.
④ 쓰레기가 적게 나오는 물건을 산다.
⑤ 쓰레기 분리배출을 잘하지 않을 경우 과태료를 내게 한다.

똑똑한 하루 퀴즈

6 다음 (　　　) 안에 도시의 문제는 '도'라고 쓰고, 촌락의 문제는 '촌'이라고 쓰세요.

| (1) 외국에서 값싼 농수산물이 들어오면서 사람들의 수입이 줄었어요. | (2) 일을 할 수 있는 사람이 줄어들면서 생산 활동을 하기 힘들어졌어요. | (3) 발생하는 쓰레기의 양이 너무 많아서 더 이상 묻을 곳이 없어요. |

(　　　　　)   (　　　　　)   (　　　　　)

4_일 촌락과 도시의 교류

 촌락과 도시 사람들을 만나게 하자!

⊙ 교류

사람들이 오고 가거나 물건, 문화, 기술 등을 서로 주고받는 것

예 밥을 먹기 위해 다른 지역에서 생산된 쌀을 사 오는 것도 ❶ [　　] 이다.

⊙ 체험

자기가 몸소 겪음, 또는 그런 경험

예 이번 주말에는 부모님과 고구마 캐기 ❷ [　　] 을 가기로 했다.

 만화로 재미있게 **개념** 쏙쏙! **용어** 쏙쏙!

N

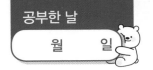
1주

서로 돕는 촌락과 도시!

용어 체크

○ 직거래 장터
살 사람과 팔 사람이 직접 거래하는 장이 서는 터

예 농수산물 ① [   ] 에서 싱싱한 채소를 싸게 살 수 있다.

○ 상호 의존
서로 돕고 교류하며 의지하는 것

예 촌락과 도시는 ② [   ] 관계에 있다.

1 교류란 무엇일까?

> 뜻 사람들이 오고 가거나 물건, 문화, 기술 등을 서로 주고받는 것
>
> 이루어지는 까닭
> • 지역마다 기술 수준, 생산물 등이 달라서
> • 서로 다른 문화를 접하거나 각자의 문화를 알리기 위해서

우리가 살아가려면 다양한 물건과 서비스가 필요해서 교류를 해야 돼.

☑ 교류는 사람, 물건, 문화, 기술 등을 서로 주고받는 것입니다.

2 촌락 사람들은 도시 사람들과 교류하기 위해 어떤 노력을 할까?

체험

소금 만들기 체험이 재미있어.

촌락 사람들
체험 마을 등을 운영하면 소득이 늘어남.

도시 사람들
자연을 즐기는 여가 활동을 할 수 있음.

축제

내년에도 산천어 축제에 또 오자.

촌락 사람들
촌락의 경제에 도움을 주고, 자랑거리를 알릴 수 있어 자긍심을 높여 줌.

도시 사람들
자연환경을 즐기거나 특색 있는 문화를 체험할 수 있음.

☑ 촌락에서는 체험 마을을 운영하고, ❶(공공 기관 / 축제)을/를 열어 도시 사람들과 교류합니다.

3 도시 사람들은 촌락 사람들과 교류하기 위해 어떤 노력을 할까?

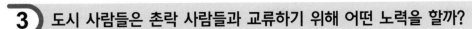

농수산물 직거래 장터를 통한 교류

싱싱한 농수산물을 싸게 살 수 있음.

여가 생활을 통한 교류

촌락에서 낚시, 등산, 야영을 함.

촌락

상호
의존

도시

지역 축제를 통한 교류

촌락의 축제에 참여해 지역의 전통문화를 체험할 수 있음.

자매결연이나 봉사를 통한 교류

농촌일손돕기 봉사활동

기업이나 학교에서 일손 돕기 봉사 활동을 하기도 함.

☑ 도시 사람들은 직거래 장터, 자매결연이나 ❷(봉사 / 비판) 등을 통해 촌락 사람들과 교류합니다.

↳한 지역이나 단체가 다른 지역이나 단체와
서로 돕거나 교류하기 위하여 친선 관계를
맺는 일

정답 ❶ 축제 ❷ 봉사

🐼 **개념 체크**

◦ 정답과 풀이 2쪽

1 사람들이 오고 가거나 물건, 문화, 기술 등을 주고받는 것을 ☐☐라고 합니다.

2 촌락 사람들이 ☐☐ 마을을 운영하면 소득이 늘어납니다.

3 도시 사람들은 농수산물 ☐☐☐ 장터를 통해 촌락 사람들과 교류합니다.

보 기
• 이사   • 교류
• 체험   • 도시
• 직거래   • 백화점

1 다음 교류의 뜻에서 □ 안에 들어갈 알맞은 말을 한 가지만 쓰시오.

사람들이 오고 가거나 □ 등을 서로 주고받는 것을 교류라고 합니다.

( )

2 교류가 이루어지는 까닭으로 알맞은 것을 두 가지 고르시오. (,)

① 지역마다 언어가 달라서
② 지역마다 기술 수준이 달라서
③ 지역마다 생산하는 물건이 달라서
④ 지역마다 사는 사람들의 성별이 달라서
⑤ 지역의 전통문화를 다른 지역에 알리기 싫어서

3 다음과 같은 체험 마을을 운영하고 있는 곳은 어디입니까? ( )

▲ 소금 만들기 체험

▲ 치즈 만들기 체험

① 도시   ② 촌락   ③ 회사
④ 학교   ⑤ 보건소

4 위 **3**번 답에 사는 사람들이 체험 마을을 운영하면 좋은 점을 바르게 말한 어린이를 쓰시오.

홍연 : 소득이 늘어날 수 있어요.
정우 : 여가를 즐겁게 보낼 수 있어요.
가현 : 새로운 체험을 직접 할 수 있어요.

( )

5 다음 사진과 관련하여 ☐ 안에 들어갈 알맞은 말은 어느 것입니까? (   )

촌락에서는 왼쪽 사진과 같이 자연환경이나 특산물을 활용한 ☐ 을/를 열어 도시에 사는 사람들이 참여하게 하여 소득을 올리기도 합니다.

① 공연　　　　② 축제　　　　③ 시장
④ 전시회　　　⑤ 박람회

집중 연습 문제　도시 사람들과 촌락 사람들의 교류

6 도시 사람들과 촌락 사람들의 교류 모습으로 알맞지 <u>않은</u> 것은 어느 것입니까? (   )

① 지역 축제를 통한 교류
② 여가 생활을 통한 교류
③ 불매 운동을 통한 교류
④ 자매결연이나 봉사를 통한 교류
⑤ 농수산물 직거래 장터를 통한 교류

촌락과 도시는 서로 협력하며 교류하고 있어.

㉠, ㉡ 사진에 대한 설명을 써 볼까?

• ㉠ ➡ ◯ ◯ 에서 야영을 하는 모습

• ㉡ ➡ ◯ ◯ ◯ 장터에서 물건을 사는 모습

7 도시와 촌락에 사는 사람들이 여가 생활을 통해 교류하는 모습을 찾아 기호를 쓰시오.

㉠ 　　　㉡

(　　　　　　)

1 촌락

① 뜻 : 자연환경을 주로 이용하여 살아가는 지역

② 종류

사람들이 하는 일에 따라 농촌, 어촌, 산지촌을 구별할 수 있어.

농촌	어촌	산지촌
	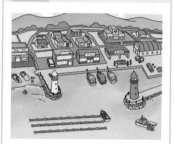	
농사짓는 땅을 이용하여 생산 활동을 하는 곳	바다를 이용하여 생산 활동을 하는 곳	산을 이용하여 생산 활동을 하는 곳

2 도시

① 뜻 : 인구가 밀집해 있고 사회, 정치, 경제 활동의 중심이 되는 곳

② 특징

도시의 모습을 보면 도시의 특징을 알 수 있어.

높은 건물, 다양한 편의 시설이 많음.	지하철을 비롯해 다양한 교통수단이 발달함.	크고 작은 도로가 연결되어 있음.

③ 위치

서울특별시	도로·철도 교통의 중심지로 우리나라의 수도
세종특별자치시	행정의 중심지로 새롭게 계획하여 만든 도시
전라남도 여수시	항구 도시이며 큰 공장들이 있어 산업이 발달한 도시
부산광역시	철도 교통, 해상 교통이 발달한 도시

3 촌락과 도시의 문제

① 촌락 문제와 해결하기 위한 노력

살기 좋은 촌락과 도시를 만들려고 많은 사람들이 노력하고 있어.

문제	해결하기 위한 노력
인구 감소로 인한 일손 부족	다양한 기계를 이용해 농사를 지음.
외국의 값싼 농수산물로 인한 수입 감소	품질 좋은 농수산물을 생산함.
문화 시설 및 편의 시설 부족	폐교나 마을 회관을 단장하여 문화 시설이나 편의 시설을 늘림.

② 도시 문제와 해결하기 위한 노력 예 쓰레기 문제

쓰레기 매립장 부족 문제

해결 노력
• 개인은 쓰레기를 줄이려고 노력함.
• 이웃들과 함께 캠페인을 함.
• 공공 기관은 쓰레기를 분리배출할 수 있는 시설을 만들고 이를 지키지 않을 경우 과태료를 내게 함.

20△△. △△. △△.

◇◇군, 전국에서 가장 살고 싶은 곳 1위로 뽑혀

우리나라 사람들은 가장 살고 싶은 곳으로 ◇◇군을 뽑았습니다.

농사를 하는 사람들이 대부분인 ◇◇군은 한때 젊은 사람들이 떠나고 남은 빈집들이 많아져 위험하기도 했습니다.

이에 ◇◇군청은 도시에서 ◇◇군으로 이사 오는 사람들을 돕고, 문화 시설이나 편의 시설 등을 만드는 등 적극적으로 노력했습니다. 그 결과 이제는 많은 사람들이 살고 싶어 하는 ◇◇군이 되었습니다.

1일 촌락의 특징

1 농사짓는 땅을 이용하여 생산 활동을 하는 곳은 어디입니까? (   )

① 어촌   ② 도시   ③ 농촌
④ 산지촌   ⑤ 관광지

2 다음 그림의 촌락에서 주로 하는 일을 두 가지 고르시오. (,   )

① 논에서 벼를 키운다.
② 밭에서 채소를 가꾼다.
③ 바다에서 김을 기른다.
④ 산에서 목재를 생산한다.
⑤ 바다에서 물고기를 잡는다.

3 어촌에서 주로 볼 수 있는 시설은 어느 것입니까? (   )

① 목장   ② 등대   ③ 정미소
④ 저수지   ⑤ 높은 건물

4 산지촌에 대해 바르게 설명한 어린이는 누구인지 쓰시오.

> 신우 : 산을 이용하여 생산 활동을 하는 곳이에요.
> 채현 : 바다, 갯벌, 모래사장 등을 볼 수 있는 곳이에요.
> 동국 : 농사짓는 데 도움을 주는 시설들을 쉽게 볼 수 있어요.

(   )

○ 정답과 풀이 3쪽

2일 도시의 특징

5 다음 중 도시에 있는 어린이는 누구인지 쓰시오.

사람들이 정말 많고, 높은 건물들이 멋있네.

◀ 세윤

주변에 높은 산이 있고 소가 많은 목장도 보여.

◀ 지형

벼가 노랗게 익은 것을 보니 가을이 온 것 같아.

◀ 규정

(   )

6 다음 사진을 보고, (   ) 안의 알맞은 말에 ○표를 하시오.

위 사진과 같은 모습은 (촌락 / 도시)에서 주로 볼 수 있습니다.

7 도시에서 주로 볼 수 있는 모습이 <u>아닌</u> 것은 무엇입니까? (   )

① 미술관에서 일하는 사람

② 회사에서 사무를 보는 사람

③ 산에서 산나물을 캐는 사람

④ 공장에서 물건을 만드는 사람

⑤ 백화점에서 물건을 파는 사람

8 다음 도시 중 행정의 중심지는 어디입니까? (   )

① 대구광역시

② 부산광역시

③ 세종특별자치시

④ 전라남도 여수시

⑤ 경기도 남양주시

3일 촌락과 도시의 문제 해결

9 다음 그래프에서 나타나고 있는 현상을 바르게 말한 어린이를 쓰시오.

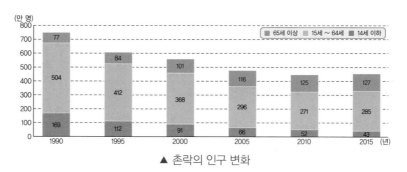

(만 명)

| | 65세 이상 | 15세 ~ 64세 | 14세 이하 |

▲ 촌락의 인구 변화

> 준재 : 촌락 전체의 인구가 크게 늘어나고 있어요.
> 동후 : 촌락에 사는 어린이의 수는 변함이 없어요.
> 다윤 : 촌락에 사는 노인의 인구가 조금씩 늘어나고 있어요.

(   )

10 촌락의 문제에 대해 <u>잘못</u> 말하고 있는 것을 찾아 기호를 쓰시오.

> ㉠ 젊은 사람들이 없어서 힘들어요.
> ㉡ 일자리가 없어서 돈을 벌 수 없어요.
> ㉢ 외국에서 값싼 농산물이 많이 들어와서 걱정이에요.

(   )

11 다음 신문 기사와 같은 문제를 해결하기 위해 해야 할 일을 두 가지 고르시오.

(,   )

○○신문   20△△년 △△월 △△일

○○시 쓰레기 대란 '위기'
쓰레기 매립장 넘쳐

① 쓰레기를 분리배출한다.
② 쓰레기를 다른 나라에 버린다.
③ 쓰레기 줄이기 캠페인을 한다.
④ 쓰레기를 되도록 많이 버린다.
⑤ 쓰레기를 분리배출할 수 있는 시설을 줄인다.

4일 촌락과 도시의 교류

12 다음에서 설명하는 말은 어느 것입니까? (   )

> 지역마다 생산물, 기술, 문화 등이 다르기 때문에 이루어지는 것으로, 사람들이 오고 가거나 물건, 문화, 기술 등을 서로 주고받는 것을 말합니다.

① 이사   ② 교환   ③ 교류
④ 소비   ⑤ 생산

서술형

13 다음과 같이 촌락과 도시에 사는 사람들이 농수산물 직거래 장터를 통한 교류를 했을 때 좋은 점을 한 가지만 쓰시오.

_____

_____

똑똑한 **하루 퀴즈**

14 다음은 듬이가 여행을 하면서 찍은 사진이에요. 도시에서 찍은 사진을 찾아 기호를 쓰세요.

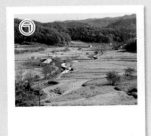

여행을 하면서 사진을 찍었어.

(   )

1 민지가 부모님과 함께 살고 있는 곳을 찾아 ○ 표를 하시오.

> 민지 : 우리 아빠는 바다에서 물고기를 잡는 일을 하시고, 엄마는 김을 기르는 곳에서 일하세요.

(1)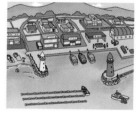

(2)

(   )   (   )

2 촌락에 대한 설명으로 알맞은 것을 두 가지 고르시오. (,   )

① 농촌, 어촌, 산지촌이 있다.

② 높은 건물을 쉽게 볼 수 있다.

③ 계절에 따라 생활 모습이 달라진다.

④ 인문 환경을 주로 이용하여 살아간다.

⑤ 사람들은 주로 서비스를 제공하는 일을 한다.

3 다음 촌락에서 주로 하는 일을 바르게 줄로 이으시오.

(1) 농촌   •   • ㉠ 농사짓기

(2) 산지촌   •   • ㉡ 나무 기르기

4 다음 사람들이 하는 일을 읽고, (   ) 안의 알맞은 말에 ○표를 하시오.

> 산에서 나무를 가꾸어 베거나 산나물을 캐는 일 등을 (임업 / 어업)이라고 합니다.

5 다음 보기에서 도시와 관련 있는 말을 두 가지 찾아 기호를 쓰시오.

> **보기**
> ㉠ 넓은 논밭   ㉡ 높은 건물
> ㉢ 적은 사람   ㉣ 다양한 교통수단

(,   )

6 다음과 같이 공장에서 일하는 모습을 주로 볼 수 있는 곳은 어디입니까? (   )

① 어촌
② 농촌
③ 도시
④ 관광지
⑤ 산지촌

7 도시에 대해 바르게 말한 어린이를 쓰시오.

> 승아 : 새롭게 계획하여 만든 도시도 있어요.
> 대한 : 도시는 서울특별시 주변에만 있어요.
> 호준 : 교통이 발달한 곳에는 도시가 생기기 어려워요.

(   )

8 다음 촌락의 문제에 대한 설명에서 (   ) 안의 알맞은 말에 ○표를 하시오.

> 촌락의 인구가 점점 줄어들면서 (일손 / 일자리) 부족 문제가 심각해지고 있습니다.

9 사람들이 다음과 같은 노력을 하는 까닭은 어느 것입니까? (   )

▲ 분리배출하기

▲ 캠페인하기

① 인구를 줄이기 위해
② 일자리를 늘리기 위해
③ 경제 발전을 하기 위해
④ 귀촌 인구를 늘리기 위해
⑤ 쓰레기 문제를 해결하기 위해

10 다음 그림을 보고, (   ) 안의 알맞은 말에 ○표를 하시오.

위와 같이 우리 지역에 사는 사람들이 다른 지역에 오고 가거나 물건, 문화, 기술 등을 서로 주고받는 것을 (교류 / 이사) 라고 합니다.

1주 특강

생활 속 사회

촌락과 도시가 교류하는 다양한 모습을 알아봅니다.

 ## 촌락과 도시 사람들의 교류

주변에서 접할 수 있는 사례

매달 도청 앞 광장에서 열리는 농산물 직거래 장터

촌락   도시

도시 학교 학생들이 촌락에 있는
한옥으로 다녀온 교육 여행

가을이네 가족과
민들레 마을 주민들은 사람과
물건을 교류하고 있어.

가을이네 가족과 민들레 마을 주민들의 사례

 가을이네 가족에게

　안녕하세요? 지난여름 태풍으로 어려울 때 마을 일을 도와주셔서 큰 도움이 되었습니다. 우리 마을의 할머니들이 정성을 들여 볕에 말린 나물과 빨갛게 물든 홍시, 가을 땅의 기운을 받은 고구마와 땅콩, 닭들이 낳은 달걀을 보냅니다. 앞으로도 저희는 우리 마을을 사랑하며 꾸준히 친환경 농산물을 생산하려고 노력하겠습니다.

민들레 마을 주민들 드림

 민들레 마을 주민들에게

　안녕하세요? 보내 주신 농산물 덕분에 맛있는 음식을 먹을 수 있었어요. 고구마 맛탕을 만들어 가족들과 맛있게 먹었어요. 보내 주신 땅콩을 먹으니 머리가 좋아진 것 같아요. 다음번 수확 때에는 저도 가서 일손을 돕고 싶어요. 민들레 마을의 친구들과 할머니들이 보고 싶네요.

가을 올림

1 만화를 보고, ☐ 안에 들어갈 알맞은 말을 글자 칸에서 찾아 네 글자로 쓰세요.

나	여	까	상	늘	의
오	매	가	다	사	추
호	죽	루	존	품	장

정답 ◯ ◯ ◯ ◯

1주특강

사고 쑥쑥

조사 보고서를 보고 어떤 곳에 대해 조사한 것인지 알아봅니다.

2 다음은 가을이가 쓴 조사 보고서예요.

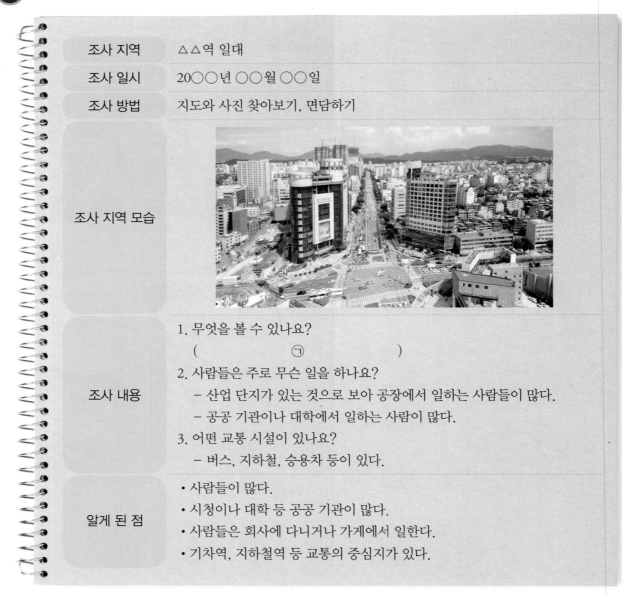

조사 지역	△△역 일대
조사 일시	20○○년 ○○월 ○○일
조사 방법	지도와 사진 찾아보기, 면담하기

조사 지역 모습

조사 내용

1. 무엇을 볼 수 있나요?
(㉠)
2. 사람들은 주로 무슨 일을 하나요?
 – 산업 단지가 있는 것으로 보아 공장에서 일하는 사람들이 많다.
 – 공공 기관이나 대학에서 일하는 사람이 많다.
3. 어떤 교통 시설이 있나요?
 – 버스, 지하철, 승용차 등이 있다.

알게 된 점

• 사람들이 많다.
• 시청이나 대학 등 공공 기관이 많다.
• 사람들은 회사에 다니거나 가게에서 일한다.
• 기차역, 지하철역 등 교통의 중심지가 있다.

(1) 가을이가 조사한 지역은 (촌락 / 도시)입니다.

(2) 위 ㉠에 들어갈 말을 한 가지만 쓰시오.

( )

촌락의 문제와 해결 노력에 대해 알아봅니다.

3 다음 촌락의 노인들이 대화하고 있는 모습을 보고, 촌락의 문제에 대한 알맞은 해결 방안을 찾아 줄로 이으세요.

일손 부족 문제 · 　　　 소득 감소 문제 · 　　　 시설 부족 문제 ·

품질 좋은 농산물 생산 · 　　　 다양한 기계 이용 · 　　　 편의 시설 확충 ·

▲ 폐교를 활용한 문화 공간

▲ 다시마를 기계로 넣는 모습

▲ 킹스베리 생산

1주 특강

논리 탄탄

비밀번호를 풀 수 있는 힌트를 보고, 촌락의 특징에 대한 알맞은 설명을 찾아봅니다.

4 묶여 있는 트래쉬 킹을 풀기 위해서는 비밀번호가 필요해요. 힌트를 보고 비밀번호를 찾아 완성 하세요.

비밀번호 힌트

- 열쇠를 열고 싶다면 '촌락'에 대해 알맞게 설명한 내용이 적힌 번호를 순서대로 누릅니다.
- 비밀번호는 세 자리 숫자입니다.

6 농촌, 어촌, 산지촌이 있어요.

2 자연환경의 영향을 많이 받아요.

1 주로 회사를 다니거나 공장에 다니는 사람이 많아요.

4 아파트나 높은 건물을 많이 볼 수 있어요.

8 계절이나 날씨에 따라 생활 모습이 달라져요.

9 인구가 밀집해 있기 때문에 복잡해 보여요.

3 사회, 정치, 경제 활동의 중심지예요.

비밀번호 〇 〇 〇

우리나라의 주요 도시에 대한 질문을 보고, 도착까지 가는 길을 완성해 봅니다.

5 질문에 알맞은 대답을 찾아 화살표로 가는 길을 표시해 보세요.

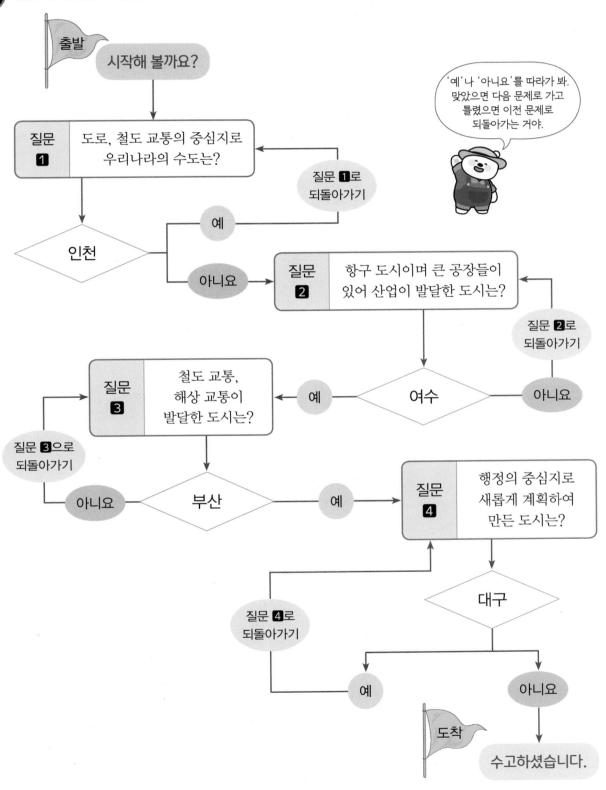

출발
시작해 볼까요?

'예'나 '아니요'를 따라가 봐. 맞았으면 다음 문제로 가고 틀렸으면 이전 문제로 되돌아가는 거야.

질문 **1**
도로, 철도 교통의 중심지로 우리나라의 수도는?

질문 **1**로 되돌아가기

인천
예
아니요

질문 **2**
항구 도시이며 큰 공장들이 있어 산업이 발달한 도시는?

질문 **2**로 되돌아가기

질문 **3**
철도 교통, 해상 교통이 발달한 도시는?

예
여수
아니요

질문 **3**으로 되돌아가기

아니요
부산
예

질문 **4**
행정의 중심지로 새롭게 계획하여 만든 도시는?

질문 **4**로 되돌아가기

대구

예
아니요

도착
수고하셨습니다.

▲ 가계부 쓰기

우리는 모두 경제 활동을 하면서 살아가.

▲ 선택의 문제를 겪는 상황

현명한 소비 생활

소비

생활에 필요한 것을
자연에서 얻는 활동

생활에 필요한 것을
만드는 활동

생활을 편리하고 즐겁게
해 주는 활동

생산

경제
활동

선택의 문제 — 희소성

선택의 문제는
경제 활동을 하는 모든
사람에게 일어나지.

▲ 신발 생산하기

▲ 과일 수확하기

주변에서 일어나는 다양한
경제 활동을 보며 우리도 합리적인
경제 활동을 할 수 있도록 노력하자.

2주에는 무엇을 공부할까? ❷

경제 활동

經 濟
지날 경   건널 제

活 動
살 활   움직일 동

음료수를 사 먹는 것도 경제 활동이지.

뜻 사람들이 생활하는 데 필요한 여러 가지 것들을 만들고 사용하는 것과 관련된 모든 활동

예 생산 활동과 소비 활동 모두 **경제 활동**이다.

희소성

稀 少 性
드물 회   적을 소   성품 성

하나밖에 없어서 더 소중해.

뜻 사람들이 원하는 것은 많으나, 그것을 모두 가질 수 없는 상태

예 자원은 **희소성**이 있어서 아껴 써야 한다.

현명한 선택

賢 明
어질 현   밝을 명

選 擇
가릴 선   가릴 택

숙소를 고를 때 현명한 선택을 하지 못하면 여행을 망치게 돼.

숙소의 가격, 시설, 위치 다 중요해!

뜻 여러 가지를 고려해서 신중하게 선택하여 돈과 자원을 낭비하지 않고 큰 만족감을 얻는 것

예 생일 선물을 고를 때에도 **현명한 선택**을 해야 한다.

생 산

生 産
날 생   낳을 산

공연장에서 노래를 하는 것도 생산 활동이지.

뜻 생활에 필요한 물건을 만들거나 사람들의 생활을 편리하고 즐겁게 하는 활동을 제공하는 것

예 생활에 필요한 것을 만드는 **생산** 활동에는 공장에서 자동차 만들기가 있다.

우리는 생활 속에서 다양한 경제 활동을 하고 있어. 경제 활동을 현명하게 하기 위한 방법과 관련된 용어를 꼭 기억해!

2주

소 비

消 費

사라질 **소** 쓸 **비**

표를 사서 공연을 보는 것도 소비 활동이지!

뜻 필요한 물건을 구입하고자 돈을 쓰는 것

예 현명한 **소비** 생활을 해야 낭비하지 않을 수 있다.

소 득

所 得

바 **소** 얻을 **득**

열심히 일하면 소득을 얻을 수 있지.

뜻 경제 활동의 대가로 생기는 돈

예 국민들의 **소득** 수준이 높아지고 있다.

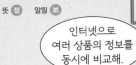

물건을 살 때 필요한 정보를 찾아 활용하자.

정 보

情 報

뜻 **정** 알릴 **보**

인터넷으로 여러 상품의 정보를 동시에 비교해.

뜻 관찰이나 측정을 통해 수집한 자료를 실제 문제에 도움이 될 수 있도록 정리한 지식, 또는 그 자료

예 물건의 **정보**를 얻는 방법은 다양하다.

용돈을 많이 받았으니 새로운 게임을 사야겠어!

게임 센터

내 생일이 얼마 안 남았는데? 현명한 소비를 하라고!

화르륵

선택의 문제

용어 체크

○ **경제 활동**

사람들이 생활하는 데 필요한 여러 가지 것들을 만들고 사용하는 것과 관련된 모든 활동

예 선택의 문제는 [❶]을 하는 모든 사람에게 일어난다.

경제 활동 중 선택의 문제 ▶

정답 ❶ 경제 활동

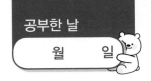
🐾 모든 걸 다 가질 순 없잖아?

2주

난 샌드위치를 선택할래!

가을아, 아이템 상점은 오른쪽으로 가면 바로 있어.

뭔가 불안한 느낌이 든단 말이야.

어떤 게 있을까?

아이템을 구입하려면 버튼을 누르세요.

아이템 보기

생각보다 비싼데? 뭘 사는 게 가장 현명한 선택일까?

• 도시의 지도 4,000 × 2개
• 방어력을 높이는 방패 7,000 × 2개
• 에너지 12,000 × 1개
• 치료제 8,000 × 1개
• 멋진 의상 6,000 × 2개

가을아! 짜잔!

한 개에 1,500 코인이라 두 개 샀어.

내 것까지 샀어? 코인을 아껴야 하는데….

딱 두 개 남은 걸 다 갖고 온 거라고!

지도와 방패를 사고 싶은데 다 살 수 없어서 고민 중이야.

경제 활동에서 선택의 문제가 일어나는 건 📍**희소성** 때문이야. 코인도 한정되어 있으니까!

코인이 무제한으로 늘어났으면 좋겠다!!

두 개만 남아 있던 이유를 알겠네. 이거 정말 맛있어서 희소성이 매우 높은 샌드위치였어.

우물 우물

🐻 용어 체크

📍 **희소성**

사람들이 원하는 것은 많으나, 그것을 모두 가질 수 없는 상태

예 많은 사람이 갖고 싶어 하지만 수가 적은 물건은 [❶   ]이 높다.

稀	少	性
드물 **희**	적을 **소**	성품 **성**

개념 익히기

1 선택의 문제는 언제 발생할까?

편의점에서 무엇을 살까?

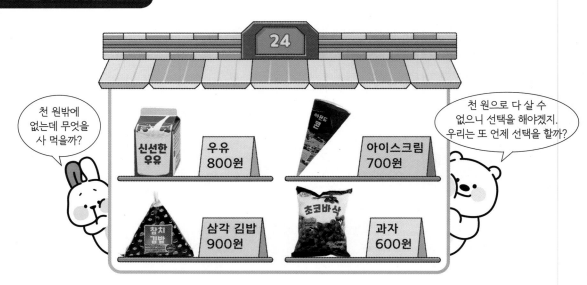

선택의 문제를 겪었던 경험 예

신발 가게에서 신발을 고르고 있음.

할인점에서 우유를 고르고 있음.

버스를 기다릴지 택시를 탈지 고민하고 있음.

선택의 문제는 경제 활동을 하는 모든 사람에게 일어나며, 무엇을 선택하는지는 사람에 따라 다를 수 있음.

☑ 우리는 경제 활동을 할 때 크고 작은 ❶(선택 / 싸움)을 하게 됩니다.

2 선택의 문제가 발생하는 까닭은 무엇일까?

돈이 많거나 자원이 풍부하여 원하는 것을 무엇이든 얻을 수 있다면 선택할 필요가 없을 거야.

돈이 많거나 자원이 풍부할 경우 벌어질 수 있는 일

이런 상황이라면	어떤 일이 벌어질까?
세상의 모든 사람이 부자라면?	• 열심히 일하려는 사람이 적을 것임. • 일하는 시간을 줄이고 행복한 삶을 즐기려는 사람이 늘어날 것임.
길거리의 모든 돌멩이가 금덩어리라면?	• 금이 귀하지 않을 것임. • 모두가 금을 가지고 있어 금값이 낮아질 것임.

선택의 문제가 일어나는 까닭

사람이 쓸 수 있는 돈이나 자원이 한정되어 있음.

⬇

원하는 것을 모두 가질 수 없음.

원하는 것을 충분히 제공할 수 없는 상태를 **희소성**이라고 함.

⬇

선택의 문제에 항상 부딪치게 됨.

희소성 때문에 경제 활동에서 **선택의 문제**가 일어남.

 자원의 ^②(희소성 / 풍부함) 때문에 경제 활동에서 선택의 문제가 발생합니다.

정답 ❶ 선택 ❷ 희소성

 개념 체크

○ 정답과 풀이 5쪽

1 신발 가게에서 신발을 고를 때 ☐☐ 의 문제를 겪습니다.

2 선택의 문제는 ☐☐ 활동을 하는 모든 사람들에게 일어납니다.

3 원하는 것을 충분히 제공할 수 없는 상태를 ☐☐☐ 이라고 합니다.

보기
• 선택   • 양보
• 문화   • 경제
• 희소성 • 상대성

1 다음 대화에서 □ 안에 들어갈 알맞은 말은 어느 것입니까? (   )

천 원밖에 없는데, 뭘 사 먹어야 되나 고민이 되네.

신선한 우유 / 우유 800원 / 아이스크림 700원

그렇게 간식을 살 때에도 우리는 □의 문제를 겪게 돼.

① 생산

② 선택

③ 허락

④ 시험

⑤ 배려

2 경제 활동을 하면서 선택의 문제를 겪고 있지 <u>않은</u> 사람을 보기 에서 찾아 기호를 쓰시오.

보기

㉠ 낮잠을 잘지 친구랑 놀지 고민하는 준수
㉡ 사탕을 살지 초콜릿을 살지 고민하는 재영
㉢ 편한 신발을 살지 예쁜 신발을 살지 고민하는 유이

(   )

3 다음 그림에 대한 설명으로 알맞은 것을 두 가지 고르시오. (,   )

버스를 탈까? 택시를 탈까?

① 선택의 문제가 발생하고 있다.

② 시간이 많기 때문에 발생하는 문제이다.

③ 경제 활동을 하면서 고민하고 있는 모습이다.

④ 버스를 살지 택시를 살지 고민하는 모습이다.

⑤ 세상 모든 사람들이 부자이기 때문에 발생하는 문제이다.

4 다음 희소성에 대한 설명에서 ( ) 안의 알맞은 말에 ○표를 하시오.

> 사람들이 원하는 것은 많으나, 그것을 모두 가질 수 (있는 / 없는) 상태를 희소성이라고 합니다.

5 선택의 문제가 발생하는 까닭으로 알맞은 것은 어느 것입니까? ( )

① 자원의 희소성이 있어서
② 돈이 무한정으로 많아서
③ 사람들이 경제 활동을 하지 않아서
④ 사람들이 갖고 싶어 하는 게 없어서
⑤ 선택할 수 있는 물건의 종류가 없어서

똑똑한 **하루 퀴즈**

6 다음 듬이의 질문에 대해 바르게 말한 친구를 찾아 기호를 쓰세요.

길거리의 모든 돌멩이가 금덩어리라면 어떤 일이 벌어질까?

▲ 듬이

ㄱ 금이 더욱 귀하게 될 거야.

ㄴ 사람들은 모두 금을 가지려고 노력할 거야.

ㄷ 모두가 금을 가지고 있어 금값이 낮아질 거야.

( )

만족감이 높은 선택은?

용어 체크

만족감

마음에 흐뭇하고 좋은 느낌

예 현명한 선택을 하면 큰 ❶ [　　　　]을 얻을 수 있다.

절약

함부로 쓰지 않고 꼭 필요한 데에만 써서 아낌.

예 돈과 자원을 낭비하지 않고 ❷ [　　　　]해야 한다.

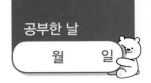

꼭 필요한 물건을 선택하자!

2
주

 용어 체크

♥ 필요성

무엇이 꼭 있어야 하는 이유나 상태

예 물건을 사기 전에 ❶ [   ]이 있는 것
인지 확인해 본다.

♥ 품질

물건의 성질과 바탕으로, 상품의 질을 말함.

예 이 물건은 ❷ [   ]이 뛰어나다.

정답 ❶ 필요성 ❷ 품질

1 현명한 선택이 필요한 까닭은 무엇일까? 예 여행 때 숙소 고르기

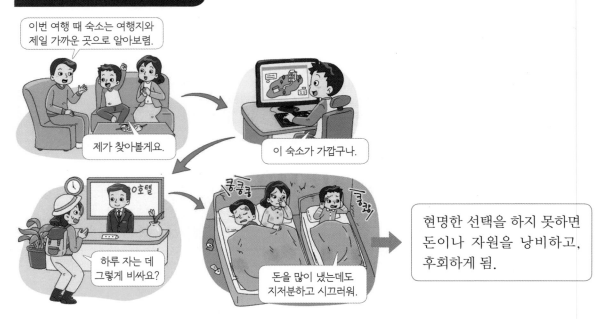

현명한 선택을 하지 못한 경우

이번 여행 때 숙소는 여행지와 제일 가까운 곳으로 알아보렴.

제가 찾아볼게요.

이 숙소가 가깝구나.

ㅇ호텔

하루 자는 데 그렇게 비싸요?

돈을 많이 냈는데도 지저분하고 시끄러워.

현명한 선택을 하지 못하면 돈이나 자원을 낭비하고, 후회하게 됨.

현명한 선택을 한 경우

객실 내부 사진과 이용 후기를 찾아보자.

○○ 숙소는 가깝지만 가격이 너무 비싸고, □□ 숙소는 가격은 적당하지만 시설이 낡았어요.

가격, 거리, 시설 등 고려해야 할 것이 많네요.

현명한 선택을 하면 자신에게 알맞은 물건을 골라 큰 만족감을 얻을 수 있을 뿐만 아니라 돈과 자원을 절약할 수 있음.

여러 가지를 고려해 **현명한 선택**을 해야 돈과 자원을 낭비하지 않고 ⓐ(작은 / 큰) 만족감을 얻을 수 있습니다.

2 현명한 선택을 하는 방법은 무엇일까? 예 생일 선물 고르기

1 정보 수집과 분석

받고 싶은 선물	휴대 전화 또는 가방
휴대 전화를 갖고 싶은 까닭	게임을 하거나 메신저를 이용하고 싶어서
가방을 갖고 싶은 까닭	가방이 매우 낡아서

상품 정보

종류			
가격	70,000원	300,000원	50,000원
모양	보통	예쁨	예쁨
특징	느린 인터넷 속도, 낮은 휴대 전화 가격	빠른 인터넷 속도, 지문 인식 가능	어깨끈이 두꺼워 가방을 메도 안 아픔.

2 분석한 내용을 바탕으로 가능한 의견을 모두 씀.

의견 1 원래 사고 싶었던 최신 휴대 전화를 사 달라고 한다.
의견 2 지금 나에게 꼭 필요하고 저렴한 가방을 사 달라고 한다.
⋮

3 비슷한 의견끼리 묶은 후에 모둠별로 의사 결정지를 작성함.

4 각 모둠에서 결정한 최종 의견을 발표해 봄.

현명한 선택을 하기 위해서는 필요성, 가격, 품질 등을 따져 보고 자신에게 가장 알맞은 것을 골라야 해.

☑ 물건을 고를 때에는 최종적으로 가격, 필요성, ❷(품질 / 유행) 등을 고려해서 선택을 해야 합니다.

정답 ❶ 큰 ❷ 품질

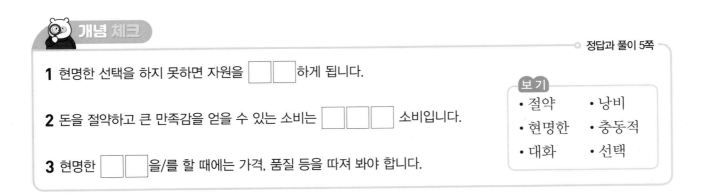

개념 체크

◦ 정답과 풀이 5쪽

1 현명한 선택을 하지 못하면 자원을 [ ][ ]하게 됩니다.

2 돈을 절약하고 큰 만족감을 얻을 수 있는 소비는 [ ][ ][ ] 소비입니다.

3 현명한 [ ][ ]을/를 할 때에는 가격, 품질 등을 따져 봐야 합니다.

보기
• 절약   • 낭비
• 현명한 • 충동적
• 대화   • 선택

1　현명한 선택을 하지 **못한** 어린이는 누구인지 쓰시오.

> 형오 : 정말 갖고 싶은 책을 용돈을 모아서 사서 기분이 좋았어요.
> 지나 : 배가 고픈데 지갑에 1,000원이 있어서 900원짜리 도넛을 사 먹었어요.
> 수경 : 비싼 과자라서 맛있을 것이라 생각하고 샀는데 맛이 없어서 다 버렸어요.

(　　　　　　　)

2　두 가족 중 현명한 선택을 한 가족을 찾아 기호를 쓰시오.

㉠
> 아빠 : 이번 여행 숙소는 여행지에서 제일 가까운 곳으로 정했어요.
> 엄마 : 가까워서 좋은데 가격이 너무 비싸네요.
> 재준 : 그리고 지저분하고 시끄러워서 불편해요.

㉡
> 아빠 : 이번 여행 숙소는 가격, 거리, 시설 등을 모두 고려해서 정했어요.
> 엄마 : 가격도 싸고 깨끗하네요.
> 희나 : 숙소를 정할 때도 생각해야 할 게 정말 많네요.

(　　　　　　　)

3　현명한 선택이 필요한 까닭을 두 가지 고르시오. (　　,　　)

① 만족감이 작기 때문에

② 돈을 절약할 수 있기 때문에

③ 선택을 빨리 할 수 있기 때문에

④ 자원을 더 많이 쓸 수 있기 때문에

⑤ 자신에게 맞는 물건을 고를 수 있기 때문에

4 현명한 선택을 하지 못했을 때 일어날 수 있는 일은 어느 것입니까? ( )

① 후회하게 된다.　　　　　② 기분이 좋아진다.

③ 자원을 아끼게 된다.　　　④ 돈을 절약하게 된다.

⑤ 만족감이 커지게 된다.

집중 연습 문제 **현명한 선택을 하는 방법**

5 표에 해당하는 현명한 선택을 하는 과정을 보기 에서 찾아 기호를 쓰시오.

	중저가 휴대 전화	최신 휴대 전화	가방
가격	70,000원	300,000원	50,000원
모양	보통	예쁨	예쁨
특징	느린 인터넷 속도	빠른 인터넷 속도	두꺼운 어깨끈

보기

㉠ 관련 정보를 수집·분석하기

㉡ 분석 내용을 바탕으로 모든 의견 이야기하기

㉢ 비슷한 의견을 묶어서 의사 결정지 작성하기

㉣ 최종 의견 결정하기

( )

현명한 선택을 하는 과정에 따라 가장 필요한 선물을 고를 수 있어.

6 현명한 선택을 하기 위해 생각해야 하는 것을 보기 에서 찾아 기호를 쓰시오.

보기

㉠ 가격이 적당한지 생각합니다.

㉡ 요즘 유행에 맞는 물건인지 생각합니다.

㉢ 다른 친구들이 갖고 있는 것인지 생각합니다.

( )

지금 가장 필요한 것이 무엇인지 생각하고 선택해야 해.

3_일 생산과 소비의 모습

사람이 없는 시장을 되돌려 놓자!

용어 체크

시장

상인과 소비자가 자유롭게 의사 표현을 하며 가격을 조정하여 거래를 형성하는 곳

예 고장의 ❶ ☐ 에 가면 물건을 사고파는 사람들을 많이 볼 수 있다.

생산과 소비는 멈추면 안 돼!

🐼 용어 체크

생산

생활에 필요한 물건을 만들거나 사람들의 생활을 편리하고 즐겁게 하는 활동을 제공하는 것

예 빵을 만드는 것은 소비와 생산 중 ❶ [   ] 활동에 포함된다.

소비

필요한 물건을 구입하고자 돈을 쓰는 것

예 우리도 떡볶이를 사 먹으며 ❷ [   ] 활동을 할 수 있다.

정답 ❶ 생산 ❷ 소비

▶ 개념 동영상

1 생산과 소비는 무엇일까?

시장에서는 다양한 생산과 소비 활동이 이루어지고 있어.

뜻
생활에 필요한 물건을 만들거나 우리 생활을 편리하고 즐겁게 해 주는 것

경제 활동

생산

뜻
생산한 것을 쓰는 것

소비

예
빵을 만드는 일, 미용사가 머리 손질을 해 주는 일

선택의 문제

예
빵을 사 먹는 일, 미용실에서 머리 손질을 받는 일

☑ 생산은 생활에 필요한 물건을 만드는 것이고, ❶(소비 / 교류)는 생산한 것을 쓰는 것입니다.

2 생산 활동의 종류에는 무엇이 있을까?

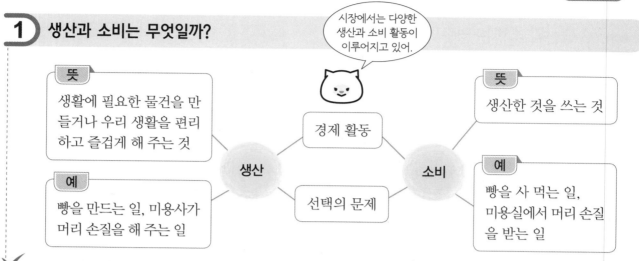

생활에 필요한 것을 자연에서 얻는 활동

벼농사 짓기

물고기 잡기

생활을 편리하고 즐겁게 해 주는 활동

공연하기

생활에 필요한 것을 만드는 활동

자동차 만들기

건물 짓기

환자 진료하기

☑ 생활에 필요한 것을 자연에서 얻는 활동, 생활을 ❷(편리 / 불편)하게 해 주는 활동 등이 있습니다.

3 생산 활동의 사례에는 무엇이 있을까? 예 신발의 생산 활동

1 신발을 만들 때 필요한 원료인 고무나무의 고무액, 가죽 등을 구함.

2 신발 공장에서는 고무, 가죽, 천 등 재료를 사용해서 신발을 만듦.

신발이 우리 손에 오기까지 여러 가지 생산 활동이 이루어져!

4 신발 가게나 홈 쇼핑 등을 통해 신발을 판매함.

3 운송 수단을 이용해 공장에서 만든 신발을 운반함.

☑ 물건은 여러 가지 ³(생산 / 소비) 활동을 거쳐서 우리 손에 오게 됩니다.

정답 ❶ 소비 ❷ 편리 ❸ 생산

개념 체크

◇ 정답과 풀이 5쪽

1 생산한 것을 쓰는 것을 ☐☐라고 합니다.

2 벼농사를 짓는 것은 생활에 필요한 것을 ☐☐에서 얻는 활동입니다.

3 신발을 만들기 위해서는 고무액, ☐☐ 등의 원료가 필요합니다.

보기
• 소비   • 여가
• 자연   • 도시
• 과일   • 가죽

1 다음 사람들이 공통적으로 하고 있는 활동은 어느 것입니까? (   )

> • 농부가 벼농사를 짓고 있습니다.
> • 빵집 주인이 빵을 만들고 있습니다.
> • 미용사가 머리를 손질해 주고 있습니다.

① 소비   ② 생산

③ 교류   ④ 교환

⑤ 여가

2 소비에 대해 바르게 말한 어린이는 누구인지 쓰시오.

> 다영 : 생산한 것을 쓰는 활동이에요.
> 소은 : 우리 생활에 필요한 물건을 만드는 활동이에요.
> 현철 : 미용실에서 머리 손질을 받는 것은 소비가 아니에요.

(   )

3 다음 시장에 있는 사람들의 공통점은 어느 것입니까? (   )

① 문화 활동을 하고 있다.

② 소비 활동만 하고 있다.

③ 생산 활동만 하고 있다.

④ 경제 활동을 하고 있다.

⑤ 선택의 문제를 겪지 않고 있다.

4 신발을 만드는 생산 활동에 포함되지 <u>않는</u> 것은 어느 것입니까? (   )

① 고무액을 뽑는다.　　　　② 신발을 운반한다.

③ 공장에서 신발을 만든다.　　④ 신발을 디자인한다.

⑤ 백화점에서 신발을 산다.

2주

집중 연습 문제 **생산 활동의 종류**

5 생활에 필요한 것을 자연에서 얻는 생산 활동을 두 가지 고르시오.

(,   )

①
▲ 벼농사 짓기

②
▲ 건물 짓기

③
▲ 자동차 만들기

④
▲ 물고기 잡기

①~④ 중 답이 아닌 생산 활동은 어떤 생산 활동에 속하는지 써 볼까?

생활에 필요한 것을

◯◯◯ 활동

6 다음에서 설명하는 생산 활동의 종류를 보기 에서 찾아 기호를 쓰시오.

• 병원에서 의사가 환자를 치료합니다.
• 공연장에서 다양한 악기로 공연을 합니다.

보기
㉠ 생활에 필요한 것을 만드는 활동
㉡ 생활을 편리하고 즐겁게 해 주는 활동

(   )

생산 활동에 물건을 만드는 것만 포함되는 것은 아니야.

4일 현명한 소비 생활의 방법

게임 세상에서도 아껴 쓰라고?

용어 체크

살림살이

살림을 차려서 사는 일

예 소비 생활을 현명하게 하지 못하면 가정의 ① ☐☐☐☐ 가 어려워질 수 있다.

가계부

날마다 집안 살림을 하면서 벌어들이는 돈과 쓰는 돈을 적는 책

예 부모님은 돈의 사용 계획을 세우기 위해 ② ☐☐☐ 를 쓰신다.

정답 ① 살림살이 ② 가계부

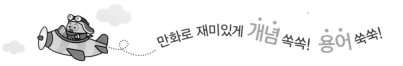
 정보를 활용해서 물건을 사야지!

2주

트래쉬 킹의 아지트

으하하하! 바틀! 녀석들을 잘 끌고 와.

삐삐삐삐—

자, 너희가 이렇게 싸우면 답이 없다고! 우리 그동안 잘해 왔잖아?

어떻게 할까?

야생 동물 출몰 위험 지역으로 특수 장비 없이는 이동이 어렵습니다.

특수 장비는 얼마야?

1인당 6,000 코인입니다.

딱 6,000 코인 남았는데, 산다고 해도 하나 밖에 못 사는 거잖아.

이럴 때 왜 책상 서랍에 넣어 둔 **용돈**이 생각나냐? 아껴 둔 건데….

용돈은 게임 코인과는 다르잖아.

알거든!

저기, 물건을 살 땐 **정보**를 활용하는 게 중요하잖아?

물건을 어디에서 사는 게 좋은지, 가격과 품질은 어떤지!

정보를 알면 좀 더 값싸고 품질이 좋은 물건을 살 수 있겠지. 근데 아이템 가격은 다 같은 거 아냐?

꼭 그런 건 아냐. 근처에 중고 상점이 있어. 거기에 저렴한 특수 장비가 있을 거야.

다행이다

용어 체크

용돈
개인이 자질구레하게 쓰는 돈, 또는 특별한 목적을 갖지 않고 자유롭게 쓸 수 있는 돈

예 친구의 생일에 [❶]으로 책을 사 주었다.

정보
관찰이나 측정을 통하여 수집한 자료를 실제 문제에 도움이 될 수 있도록 정리한 지식, 또는 그 자료

예 물건을 살 때 [❷]를 이용하면 필요한 물건을 현명하게 살 수 있다.

정답 ❶ 용돈 ❷ 정보

▶ 개념 동영상

1 현명한 소비 생활이 필요한 까닭은 무엇일까?

엄마가 주신 용돈으로 피자도 사 먹고 장난감도 사야지!

친구 생일인데 돈이 부족해서 선물을 살 수가 없네. 지난번에 받은 용돈을 아껴 쓸걸.

소득이나 쓸 수 있는 돈은 한정되어 있기 때문에 소비 생활을 현명하게 해야 해.

소비 생활을 현명하게 하지 않음.

필요한 물건을 못 사게 됨.

☑ 소비 생활을 현명하게 하지 않으면 필요한 물건을 못 사거나 하고 싶은 일을 ❶(못 하게 / 하게) 됩니다.

2 현명한 소비 생활을 하려면 어떻게 해야 할까?

가계부 쓰기

돈의 사용 계획을 미리 세우고 알뜰하게 살림살이를 하기 위해

저축하기

예상하지 못한 일을 대비하거나 목돈을 마련하기 위해

선택 기준 세우기

물건을 고를 때 선택 기준에 맞는 물건을 고르기 위해

물건의 가격, 정보 확인하기

판매 지역, 판매 방법 등에 따라 가격 차이가 있어서

☑ 저축을 하고 ❷(가계부 / 일기)를 쓰며, 선택 기준을 세워 물건을 사야 합니다.

3 소비 생활을 할 때 물건의 정보를 어떻게 얻을까?

필요한 정보를 찾아 활용하면 값싸고 품질이 좋은 물건을 살 수 있어.

인터넷 검색하기

여러 제품의 가격을 한눈에 비교하고, 다른 소비자의 의견도 알 수 있음.

광고 보기

신문, 라디오, 텔레비전 광고를 보고 상품의 특징과 품질을 알 수 있음.

상점 방문하기

판매원에게 궁금한 점을 물어볼 수 있으며 물건을 직접 비교할 수 있음.

주변 사람의 경험 듣기

상품을 사용한 사람들에게 가격, 품질, 상품의 장단점을 물어볼 수 있음.

☑ 인터넷 검색하기, 광고 보기, 상점 방문하기 등으로 물건의 ❸(소문 / 정보)을/를 얻습니다.

정답 ❶ 못 하게 ❷ 가계부 ❸ 정보

개념 체크

정답과 풀이 6쪽

1 쓸 수 있는 돈이 한정되어 있기 때문에 소비 생활을 ☐☐하게 해야 합니다.

2 사람들은 목돈을 마련하기 위해 ☐☐을 합니다.

3 신문, 라디오, 텔레비전 ☐☐ 등에서 상품의 정보를 얻을 수 있습니다.

보기
• 현명   • 신속
• 생산   • 저축
• 영화   • 광고

1 다음 어린이와 같이 돈을 썼을 때 나타날 수 있는 일은 어느 것입니까? (   )

용돈을 받았으니 피자도 사 먹고, 축구공도 사고, 용돈을 다 쓸 때까지 평소에 하고 싶었던 것을 모두 해야겠다!

① 돈이 더 많아진다.

② 용돈이 많이 남게 된다.

③ 필요한 물건을 못 사게 된다.

④ 저축을 많이 할 수 있게 된다.

⑤ 현명한 소비 생활을 하게 된다.

2 다음 그림과 관련하여 예상하지 못한 일을 대비하기 위해 하는 일은 어느 것입니까?

(   )

① 저축을 한다.

② 가계부를 쓴다.

③ 가진 돈을 다 쓴다.

④ 물건의 가격을 확인한다.

⑤ 물건을 파는 방법을 확인한다.

3 다음 용돈 사용 다짐 중 알맞은 내용을 찾아 기호를 쓰시오.

용돈 사용 다짐

㉠ 군것질을 최대한 늘리겠습니다.

㉡ 용돈은 남기지 않고 다 쓰겠습니다.

㉢ 용돈으로 물건을 살 때에는 선택 기준을 세우겠습니다.

(   )

4 다음 현명한 소비와 관련 있는 그림을 보고, ( ) 안의 알맞은 말에 ○표를 하시오.

▲ 인터넷 검색하기

▲ 광고 보기

위 그림과 같이 인터넷을 검색하고, 텔레비전 광고를 보면서 상품의 (정보 / 재료)를 얻어 현명한 소비를 할 수 있습니다.

5 상점을 방문하여 물건의 정보를 얻을 때 좋은 점을 두 가지 고르시오. (,)

① 물건을 직접 비교할 수 있다.

② 다른 소비자의 의견을 알 수 있다.

③ 상품의 단점을 자세히 들을 수 있다.

④ 판매원에게 궁금한 점을 물어볼 수 있다.

⑤ 이동하지 않고 상품의 여러 가지 정보를 얻을 수 있다.

🐻 **똑똑한 하루 퀴즈**

6 다음에서 설명하는 낱말을 말 상자에서 찾아 모두 ○표를 하세요. 말 상자의 낱말은 가로, 세로, 대각선에 숨어 있어요.

선	수	⭐	정
린	택	인	⭐
가	노	터	요
계	⭐	넷	나
부	아	저	축

1️⃣ 알뜰하게 살림살이를 꾸려 나가기 위해 쓰는 것

2️⃣ 예상하지 못한 일을 대비하거나 목돈을 마련하기 위해 하는 것

3️⃣ 물건을 고를 때에는 ☐☐ 기준을 세워야 함.

4️⃣ 여러 가지 제품의 가격을 한눈에 비교하려면 ☐☐☐ 검색을 해야 함.

1 현명한 선택

우리는 일상생활에서도 많은 선택을 해.

① 뜻 : 여러 가지를 고려해서 신중하게 선택하여 돈과 자원을 낭비하지 않고 큰 만족감을 얻는 것

② 현명한 선택을 한 경우와 현명한 선택을 하지 못한 경우

현명한 선택을 한 경우	현명한 선택을 하지 못한 경우
예 가격, 거리, 시설 등을 모두 고려하여 숙소를 정함. ➡ 큰 만족감을 얻고, 돈과 자원을 절약할 수 있음.	예 책이 들어가지 않는 작은 가방을 삼. ➡ 돈이나 자원을 낭비하고, 후회하게 됨.

③ 하는 방법 : 필요성, 가격, 품질 등을 미리 꼼꼼하게 따져 보고 자신에게 가장 알맞은 것을 골라야 합니다.

2 생산과 소비

우리 주변에서 다양한 생산 활동을 볼 수 있어.

① 생산 활동과 소비 활동

생산 활동

생활에 필요한 물건을 만들거나 우리 생활을 편리하고 즐겁게 해 주는 활동
예 미용사가 머리를 손질해 주는 것

소비 활동

생산한 것을 쓰는 것
예 미용실에서 머리 손질을 받는 것

② 생산 활동의 종류

종류	생활에 필요한 것을 자연에서 얻는 활동	생활에 필요한 것을 만드는 활동	생활을 편리하고 즐겁게 해 주는 활동
예	▲ 버섯 따기	▲ 과자 만들기	▲ 물건 팔기

3 현명한 소비 생활

① 현명한 소비 생활을 하는 방법

소득은 한정되어 있어서 사고 싶은 것을 다 살 수 없어.

가계부 쓰기	돈의 사용 계획을 미리 세우고 알뜰하게 돈을 쓰기 위해
저축하기	예상하지 못한 일을 대비하거나 목돈을 마련하기 위해
선택 기준 세우기	선택 기준에 맞는 물건을 고르기 위해
물건의 정보 확인하기	판매 지역, 판매 방법 등에 따라 가격 차이가 있기 때문에

② 물건의 정보를 얻는 방법

인터넷 검색하기

여러 제품을 비교함.

광고 보기

여러 가지 정보를 얻음.

상점 방문하기

궁금한 점을 물어봄.

Talk Talk

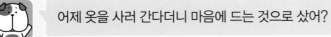
⏰ 📍 📶 ᴵᴵᴵᴵ100%

어제 옷을 사러 간다더니 마음에 드는 것으로 샀어?

마음에 쏙 들어서 바로 샀는데, 집에 와서 보니까 완전히 비슷한 옷이 있지 뭐야?

정말? 옷을 살 때에도 여러 가지 상황을 고려해서 신중하게 선택해야 하는데 말이야.

맞아, 그래서 오늘 옷을 환불하러 갈 거야. 그리고 다음부터는 꼭 현명한 선택을 해서 돈을 절약하기로 마음먹었어.

그래, 앞으로는 물건을 살 때 꼭 현명한 선택을 하자.

1일 선택의 문제

1 다음에서 설명하는 말은 어느 것입니까? ( )

> 사람들이 생활하는 데 필요한 여러 가지 것들을 만들고 사용하는 것과 관련된 모든 활동입니다.

① 문화 활동   ② 여가 활동
③ 경제 활동   ④ 정치 활동
⑤ 교육 활동

2 다음 그림을 보고, ( ) 안의 알맞은 말에 ○표를 하시오.

위 사람들은 모두 경제 활동을 하면서 (선택 / 배려)의 문제를 겪고 있습니다.

3 희소성에 대해 바르게 말한 어린이는 누구인지 쓰시오.

> 주영 : 원하는 것을 모두 얻을 수 있는 상태를 말해요.
> 남희 : 희소성 때문에 경제 활동에서 선택의 문제가 발생해요.
> 연철 : 자원이 부족함 없이 풍부할 때 희소성의 문제가 꼭 나타나요.

( )

2일 현명한 선택이 필요한 까닭

4 다음 가족들이 여행을 즐겁게 하지 못한 까닭으로 알맞은 것을 두 가지 고르시오.

(,   )

① 현명한 선택을 해서

② 숙소를 신중하게 고르지 않아서

③ 숙소를 선택할 때 거리만 고려해서

④ 숙소에 대한 가족들의 생각이 모두 달라서

⑤ 여러 가지 상황을 고려하고 숙소를 골라서

5 현명한 선택을 한 경우는 어느 것입니까? (   )

① 먹지 못할 만큼 많은 양의 음식을 시켰다.

② 가방의 크기를 확인하지 않고 예뻐서 샀다.

③ 포장지 그림만 보고 맛있어 보이는 과자를 샀다.

④ 갖고 있는 옷을 확인하지 않고 비슷한 옷을 또 샀다.

⑤ 숙소를 정할 때 가격, 거리, 시설 등을 고려해서 결정했다.

6 현명한 선택을 하기 위해 꼼꼼히 따져 봐야 할 것이 <u>아닌</u> 것을 보기 에서 찾아 기호를 쓰시오.

보기

㉠ 가격   ㉡ 품질

㉢ 필요성   ㉣ 다른 사람들의 시선

(   )

3일 생산과 소비의 모습

7 생산과 소비 활동의 공통점으로 알맞은 것을 두 가지 고르시오. (　　,　　)

① 물건을 쓰는 것이다.

② 정치 활동에 속한다.

③ 경제 활동에 속한다.

④ 물건을 만드는 것이다.

⑤ 선택의 문제를 겪는다.

8 다음 그림을 생산과 소비 활동으로 구분하여 기호를 쓰시오.

ㄱ
▲ 고기 팔기

ㄴ
▲ 생선 사기

ㄷ
▲ 딸기 수확하기

(1) 생산 활동 (　　　　,　　　　)

(2) 소비 활동 (　　　　　　)

9 다음과 같은 과정을 거쳐 만드는 것은 어느 것입니까? (　　　　)

> **1** 고무액, 가죽 등의 원료를 구함. ➡ **2** 공장에서 고무, 가죽, 천 등의 재료를 이용해 만듦. ➡ **3** 운송 수단을 이용해 운반함. ➡ **4** 가게나 홈 쇼핑 등을 통해 판매함.

① 쌀　　　　　　② 고기　　　　　　③ 신발

④ 공책　　　　　　⑤ 건물

2주

서술형

10 지우에게 충고할 수 있는 말을 한 가지만 쓰시오.

> 지우 : 할아버지께 용돈을 많이 받았는데 다 써 버려서 친구 생일 선물을 살 수가 없네.

_____

_____

11 물건의 정보를 얻는 방법 중 물건을 직접 비교할 수 있는 방법을 찾아 기호를 쓰시오.

㉠
▲ 인터넷 검색하기

㉡
▲ 광고 보기

㉢
▲ 상점 방문하기

(   )

똑똑한 하루 퀴즈

12 다음은 '생활에 필요한 것을 자연에서 얻는 생산 활동'으로 만든 퍼즐입니다. ㈎에 들어갈 퍼즐 조각을 보기 에서 찾아 기호를 쓰세요.

보기

(   )

1 선택의 문제에 대해 바르게 말한 어린이는 누구인지 쓰시오.

> 세린 : 재산이 많은 부자들만 선택의 문제를 겪어요.
> 아진 : 무엇을 선택하는지는 사람에 따라 다를 수 있어요.
> 한울 : 경제 활동을 하는 사람들은 선택의 문제를 겪지 않아요.

(   )

2 사람들이 다음 그림과 같은 문제를 겪는 까닭은 어느 것입니까? (   )

① 돈이 많아서

② 자원이 많아서

③ 갖고 싶은 게 없어서

④ 자원의 희소성이 있어서

⑤ 경제 활동을 하지 않아서

3 다음과 같은 질문에 대해 바르게 예상한 내용을 보기 에서 찾아 기호를 쓰시오.

> 세상의 모든 사람들이 부자라면?

보기
> ㉠ 열심히 일하려는 사람들이 적을 것입니다.
> ㉡ 일하는 시간을 늘리려는 사람들이 많을 것입니다.
> ㉢ 선택의 문제를 겪는 사람들이 지금보다 많아질 것입니다.

(   )

4 여행지의 숙소를 바르게 고르고 있는 사람을 찾아 ○표를 하시오.

(1)    (2)

(   )   (   )

5 위 **4**번 답과 같이 숙소를 고르면 발생할 수 있는 일을 두 가지 고르시오. (,   )

① 만족감이 높아진다.

② 돈을 절약할 수 있다.

③ 자원을 더 많이 쓸 수 있다.

④ 원하는 것을 가질 수 없게 된다.

⑤ 여행을 즐겁게 하지 못하게 된다.

6 현명한 선택을 하기 위한 과정 중 가장 먼저 해야 할 것을 보기 에서 찾아 기호를 쓰시오.

> **보기**
> ㉠ 물건의 정보를 수집하고 분석합니다.
> ㉡ 분석한 내용을 바탕으로 모둠의 의견을 씁니다.
> ㉢ 각 모둠에서 결정한 최종 의견을 발표합니다.
> ㉣ 다양한 의견을 비슷한 것끼리 묶어서 의사 결정지를 작성합니다.

(   )

7 다음 생산과 소비에 해당하는 활동을 바르게 줄로 이으시오.

(1) 생산 •   • ㉠ 카페 주인이 음료를 만듦.

(2) 소비 •   • ㉡ 카페에서 음료를 사 먹음.

8 다음 생산 활동에 해당하는 것을 보기 에서 찾아 기호를 쓰시오.

> 과자 만들기, 자동차 만들기, 책 만들기

> **보기**
> ㉠ 생활에 필요한 것을 만드는 활동
> ㉡ 생활을 편리하고 즐겁게 해 주는 활동
> ㉢ 생활에 필요한 것을 자연에서 얻는 활동

(   )

9 현명한 소비 생활을 하는 방법으로 알맞지 <u>않은</u> 것은 어느 것입니까? (   )

① 가계부를 써요.

② 저축을 해요.

③ 선택 기준에 맞는 물건을 골라요.

④ 물건의 정보를 확인하지 않고 빠르게 골라요.

10 주하가 물건의 정보를 얻은 방법은 어느 것입니까? (   )

> 주하 : 세진아, 지난번에 네가 산 가방 있잖아. 직접 써 보니까 어때?
> 세진 : 가방이 예쁘긴 한데 조금 무거워서 불편할 때가 있어.

① 광고 보기
② 상점 방문하기
③ 공장 견학하기
④ 인터넷 검색하기
⑤ 주변 사람에게 물어보기

생활 속 **사회**

다양한 소비 활동과 생산 활동을 알아봅니다.

생산과 소비

1 '생활에 필요한 것을 만드는 생산 활동'만 밟고 다리를 무사히 건너 보세요.

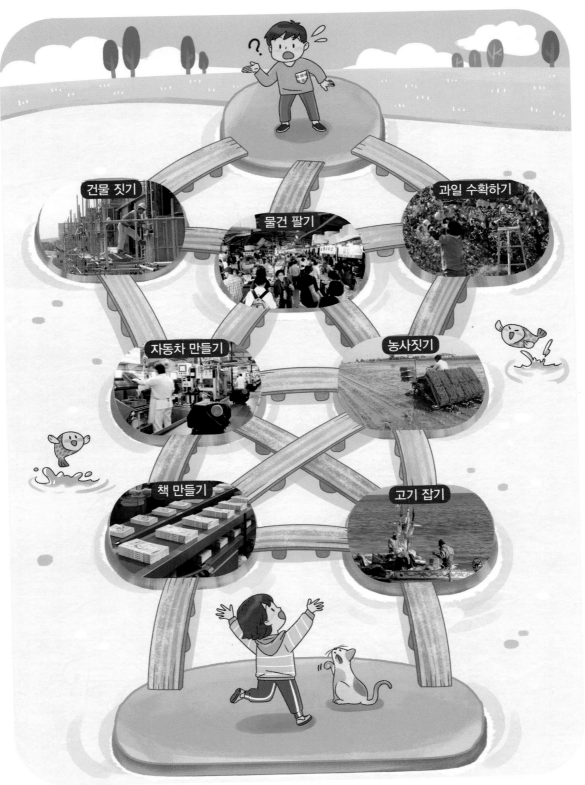

2주 특강

사고 쑥쑥

현명한 선택을 하는 과정을 알아봅니다.

2 다양한 주스를 보고, 바르게 말한 친구는 누구인지 쓰세요.

행복 할인점
★ 오늘의 특가 ★

사과 맛 주스
가격 650원
· 제품의 양 200ml
· 제품의 특징 사과즙 10%
· 원산지 사과(영주)

사과랑 당근이랑
가격 1,000원
· 제품의 양 180ml
· 제품의 특징 사과즙 40% 당근즙 50%
· 원산지 사과(칠레) 당근(제주)

유기농 사과로만 주스
가격 1,400원
· 제품의 양 180ml
· 제품의 특징 사과즙 100%
· 원산지 사과(충주)

가격을 중요하게 생각하는 사람은 '사과랑 당근이랑'을 선택할 것 같아.

▲ 봄

수입한 사과를 싫어하는 사람은 '사과랑 당근이랑'을 선택할 것 같아.

▲ 가을

나는 사과즙으로만 된 주스를 먹고 싶어서 '유기농 사과로만 주스'를 먹을 거야.

▲ 빗자루

맛있는 건 정해져 있으니 어차피 너희들은 다 똑같은 것을 선택할걸?

▲ 트래쉬 킹

(   )

3 이번 주에 공부한 내용을 기억하며, 다음 십자말풀이를 해 보세요.

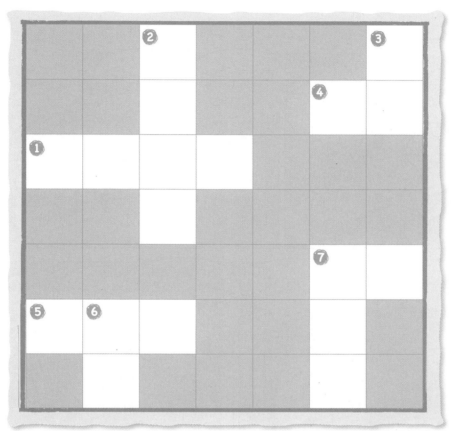

→ 가로

1 사람들이 생활하는 데 필요한 여러 가지 것들을 만들고 사용하는 것과 관련된 모든 활동을 말합니다.

4 개인이 자질구레하게 쓰는 돈으로, 우리는 ○○을 아껴서 현명하게 써야 합니다.

5 사람들이 원하는 것은 많으나, 그것을 모두 가질 수 없는 상태를 말합니다.

7 일한 결과로 얻은 이익으로, 가정의 ○○은 한정되어 있습니다.

↓ 세로

2 생활에 필요한 물건을 만들거나 생활을 편리하고 즐겁게 해 주는 활동을 말합니다.

3 비교적 많은 돈으로, 소득의 일부를 저축하면 ○○을 만들 수 있습니다.

6 생산한 것을 쓰는 것을 말합니다.

7 물건을 소비하는 사람으로, 시장에서 상인과 ○○○가 만납니다.

2_{주특강} 논리 탄탄

경제 활동을 할 때 일어나는 문제를 알아봅니다.

4 암호 해독표를 보고, 다음 만화 속 암호를 풀어 보세요.

암호 해독표

①	②	③	④	⑤	⑥	⑦	⑧	⑨	⑩	⑪	⑫	⑬	⑭
ㄱ	ㄴ	ㄷ	ㄹ	ㅁ	ㅂ	ㅅ	ㅇ	ㅈ	ㅊ	ㅋ	ㅌ	ㅍ	ㅎ

☆	★	◇	◆	□	■	△	▲	▽	▼	♡	♥	♤	♠
ㅏ	ㅑ	ㅓ	ㅕ	ㅛ	ㅗ	ㅜ	ㅠ	ㅡ	ㅣ	ㅐ	ㅒ	ㅔ	ㅖ

해독한 암호

5 다음 표에 다양한 경제 활동을 늘어놓았어요. 생산 활동이 있는 칸만 색칠하고, 어떤 글자가 나오는지 ☐ 안에 써 보세요.

음료수를 사 먹음.	공연을 보러 감.	벼농사를 지음.	배추를 삼.	과자를 사 먹음.
신발을 삼.	물고기를 양식함.	떡볶이를 사 먹음.	자동차를 만듦.	책을 사서 읽음.
버섯을 키움.	버스를 탐.	공책을 삼.	택시를 탐.	책을 팖.
책가방을 삼.	머리를 다듬고 파마를 함.	빵을 만들어서 팖.	빵을 삼.	병원에서 진료를 받음.
환자를 진료함.	악기를 연주하며 공연을 함.	옷을 만들어서 팖.	장난감을 만듦.	미용사가 머리를 손질해 줌.

이렇게 다양한 경제 활동이 있다니!

그중에서 생산 활동에 해당하는 칸을 모두 색칠하면 글자 '☐'이/가 나와.

2
주

▲ 인터넷을 이용한 경제적 교류

답답하지도
않나 봐.

경제적 교류는
다양한 방법을
통해 이루어져.

왜 그것을
두르고 있어?

▲ 특정 종교(옷차림)에 대한 편견

대중 매체

편견

지역의 대표 자원

경제적 교류

문화의 다양성

이해와 존중

편견과 차별의
태도를 버리고
문화의 다양성을
존중해야 해.

대형 시장

차별

▲ 도소매 시장

함께 일할 직원을 찾습니다.

나이가 많아서
곤란해요.

▲ 나이에 대한 차별

우리 생활에서 이루어지는
경제적 교류와 우리 주변에 있는 다양한
문화에 대해 알아보자!

3주

3주에는 무엇을 공부할까? ❷

경제적 교류

뜻 개인이나 지역이 경제적 이익을 얻기 위해 물건, 기술 등을 서로 주고받는 것

예 오늘날에는 교통과 통신의 발달로 여러 가지 방법으로 **경제적 교류**를 한다.

생산지

生 産 地
날 생 낳을 산 땅 지

상품의 생산지가 다양하네!

뜻 어떤 물품을 만들어 내는 곳 또는 그 물품이 저절로 생겨나는 곳

예 다양한 **생산지**에서 만들어진 상품이 운반되어 소비자들에게 판매되고 있다.

상품 정보를 보면 생산지를 알 수 있어.

박람회

博 覽 會
넓을 박 볼 람 모일 회

뜻 일정 기간 동안 홍보를 위해 다양한 분야의 물품을 사람들에게 보이는 행사

예 우리 지역에서 큰 규모의 **박람회**가 열려 많은 사람들이 모여들었다.

홍보

弘 報
클 홍 알릴 보

뜻 상품·사업·업적 따위를 널리 알리는 것

예 박람회에서는 지역의 대표 상품들을 **홍보**하는 모습을 볼 수 있다.

경제적 교류와 문화의 다양성과 관련된 다양한 용어가 있어. 특히 생산지, 문화 등의 용어는 꼭 기억해.

문화

文化
글월 **문** 될 **화**

뜻 사람들이 가지고 있는 언어, 의상, 전통 등 공통의 생활 방식

예 **문화**는 사람들이 오랜 시간을 함께 생활하면서 만들어졌다.

우리 주변에는 다양한 문화가 존재해.

편견

偏見
치우칠 **편** 볼 **견**

저 친구는 피부색이 왜 다르지?

뜻 어떤 것에 대하여 공정하지 못하고 한쪽으로 치우친 생각을 가지는 태도

예 우리는 다른 문화에 대한 **편견**을 버리고 존중하는 마음을 가져야 한다.

차별

差別
다를 **차** 나눌 **별**

남녀
피부색
장애

뜻 둘 이상의 대상을 각각 등급이나 수준 따위의 차이를 두어서 구별하는 것

예 우리 주변에서는 피부색, 남녀, 장애 등에 대한 **차별**의 모습을 볼 수 있다.

하나, 둘, 셋~
찰칵 찰칵

각자 자신이 좋아하는 활동을 즐기고 있네.

문화의 모습은 생각보다 더 다양하구나!

3주

 지역 간의 경제적 교류에 참여해 볼까?

🐼 **용어 체크**

📍 **경제적 교류**

개인이나 지역이 경제적 이익을 얻기 위해 물건, 기술, 정보 등을 서로
주고받는 것

예 지역과 지역은 ① [   ]를 하며 서로에게 도움이 되고
있다.

지역과 지역 간의 경제적 교류 ▶

정답 ① 경제적 교류

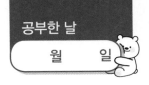
상품의 생산지는 어떻게 알 수 있지?

3주

용어 체크

◎ 원산지

어떤 물건의 재료를 생산하는 곳

예 대형 할인점에서 파는 농수산물에는

◯① [   ] 를 표시하고 있다.

◎ 생산지

원산지의 재료를 들여와 가공해서 어떤 물품을
만들어 내는 곳

예 제주도는 귤 ◯② [   ] 로 유명하다.

정답 ① 원산지 ② 생산지

1 경제적 교류란 무엇일까?

☑️ 개인이나 지역이 경제적 ❶(이익 / 손해)을/를 얻기 위해 물건, 기술, 정보 등을 서로 주고받는 것을 말합니다.

2 경제적 교류가 필요한 까닭은 무엇일까?

여러 가지 유용한 정보를 주고받을 수 있음.

지역의 특산물을 소개하거나 지역을 홍보해 경제적 이익을 얻을 수 있음.

더 나은 상품을 개발할 수 있음.

지역 간의 화합을 가져옴.
└ 화목하게 어울림.

☑️ 다양한 경제적 교류로 각 지역들은 서로 좋은 영향을 미칠 수 있기 때문입니다.

3 생산지(원산지)를 조사하는 방법에는 무엇이 있을까?

QR 코드 스캔하기

대형 할인점의 광고지 확인하기

생산지
조사 방법

누리집에서 상품 소개를 검색하거나 통계 자료를 분석하는 방법도 있다고!

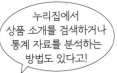

상품 정보 확인하기

품질 인증 표시 확인하기

☑ QR 코드 스캔, ❷(품질 인증 표시 / 유통 기한) 확인 등을 통해 상품의 생산지(원산지)를 조사할 수 있습니다.

정답 ❶ 이익 ❷ 품질 인증 표시

개념 체크

▷ 정답과 풀이 9쪽

1 상품 □□□는 지역의 상품을 소개하고 유용한 정보를 주고받는 장소입니다.

2 경제적 교류를 통해 지역 간의 □□을/를 가져올 수 있습니다.

3 생산지를 확인하는 방법에는 상품 □□ 확인, QR 코드 스캔 등이 있습니다.

보 기
- 전시회
- 경찰서
- 불화
- 화합
- 정보
- 가격

1 다음에서 설명하는 말은 어느 것입니까? (   )

> 개인이나 지역이 경제적 이익을 얻기 위해 물건, 기술, 정보 등을 서로 주고받는 것

① 남북 교류   ② 경제적 교류   ③ 정치적 교류

④ 기술적 교류   ⑤ 스포츠 교류

[2~3] 다음 그림을 보고, 물음에 답하시오.

2 위 그림을 보고, 영희네 지역 사람이 할 수 있는 말을 보기 에서 찾아 기호를 쓰시오.

> 보기
> ㉠ 우리 포도를 팔고 지역을 홍보할 수 있어 좋아요.
> ㉡ 질 좋은 포도로 다양한 상품을 만들어 많은 이익을 얻었어요.

(   )

3 위 그림과 같이 두 지역이 교류를 하는 까닭으로 알맞은 것에 ○표를 하시오.

(1) 두 지역이 사용하는 언어가 달라서   (   )

(2) 두 지역의 자연환경과 생산 기술 등이 달라서   (   )

4 다음 그림의 장소에서 할 수 있는 일로 알맞은 것은 어느 것입니까? (   )

① 지역을 홍보할 수 있다.

② 한 가지의 상품만 살 수 있다.

③ 지역의 특산물을 재배할 수 있다.

④ 지역 간의 교류를 중단할 수 있다.

⑤ 기술을 교류해서 상품을 생산할 수 있다.

▲ 직거래 장터

5 다음 방법으로 우리 주변의 상품에 대해 조사할 때 공통적으로 확인할 수 있는 것을 보기 에서 찾아 쓰시오.

▲ 대형 할인점의 광고지

▲ 상품의 QR 코드

보기
• 가격
• 원산지
• 만든 날짜

(   )

똑똑한 하루 퀴즈

6 다음 좌표를 보고, □ 안에 들어갈 알맞은 말을 글자표에서 찾아 쓰세요.

★	㉠	㉡	㉢	㉣	㉤
1	직	거	래	교	전
2	기	자	류	제	시
3	술	경	이	홍	회
4	화	시	장	익	협
5	특	산	물	원	력

좌표 (㉠, 1)은 '직'을 나타내는 거야.

경제적 교류는 사는 곳의 자연환경과 생산 기술, (㉡, 2) (㉣, 5) 등이 다르기 때문에 발생합니다.

(   )

2일 경제적 교류의 방법

대표 자원을 팔아 볼까?

자원

인간 생활 및 경제 생산에 이용되는 원료, 노동력, 기술 등을 통틀어 이르는 말

예 우리나라에서는 효율적으로 ❶ [　　　　] 을 활용해야 한다.

대중 매체

많은 사람에게 대량으로 정보와 생각을 전달하는 수단

예 오늘날에는 정보를 신속하게 전달할 수 있는 ❷ [　　　　] 의 중요성이 커지고 있다.

정답 ❶ 자원 ❷ 대중 매체

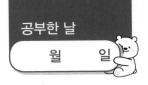

만화로 재미있게 **개념** 쏙쏙! **용어** 쑥쑥!

 박람회에서는 무슨 일을 하지?

 용어 체크

♀박람회

일정 기간 동안 선전을 하기 위하여 다양한 물품을 사람들에게 보이는 행사

 우리 지역에서 무역 [①⬚⬚⬚] 가 개최되었다.

♀특산물

어떤 지역에서 특별하게 생산되는 물건

 전라남도 보성의 녹차는 [②⬚⬚⬚] 로 유명하다.

▲ 보성 녹차밭

정답 ① 박람회 ② 특산물

1 경제적 교류의 대상에는 누가 있을까?

개인과 기업
기술·상품 정보 교환

지역과 지역
어촌 / 농촌

국가와 국가
○○나라 / ○○나라

☑ 경제적 교류를 하는 대상은 개인, 기업, 지역, 국가 등 다양합니다.

2 경제적 교류의 방법에는 무엇이 있을까?

인터넷, 스마트폰, 홈 쇼핑 등을 이용할 수 있지.

대형 시장에서의 교류

교통의 발달로 다른 지역의 시장에서 상품을 직접 확인해 살 수 있음.

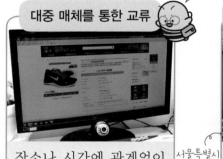
대중 매체를 통한 교류

장소나 시간에 관계없이 상품 정보를 얻을 수 있음.

문화 활동과 함께하는 교류

서울특별시 '방콕의 날' 행사

경제 교류는 문화 활동과 함께 더욱 활발히 이루어지기도 함.

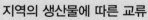
지역의 생산물에 따른 교류

도시 / 농촌 / 어촌 / 산지촌

지역마다 자연환경과 기술 수준이 달라서 생산하는 물건이 다르기 때문에 풍부한 생산물을 중심으로 교류를 함.

☑ 대중 매체나 대형 ❶(공원 / 시장)을 이용하고, 문화 활동과 함께하거나, 지역의 생산물에 따라 교류하기도 합니다.

3) 다양한 지역의 대표 상품은 어떻게 알 수 있을까? 예 특산물 박람회

박람회는 지역의 대표 상품을 다른 지역에 소개하는 행사야. 이곳에 있는 홍보관과 지도를 살펴 보자!

박람회에 있는 지도

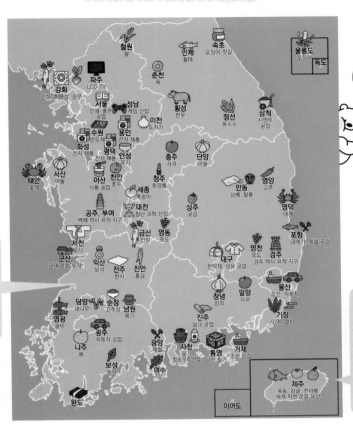

대표 상품을 중심으로 지역 간의 경제 활동이 활발하게 이루어지고 있어!

전라북도 홍보관

한복 체험을 하고 비빔밥을 시식하는 모습을 볼 수 있음.

제주도 홍보관

옥돔, 오메기떡, 감귤, 한라봉 등을 홍보하고 시식하는 모습을 볼 수 있음.

☑️ 박람회 홍보관을 가거나 박람회에 있는 ②(백지도 / 지도)를 보면 각 지역의 대표 상품을 알 수 있습니다.

정답 ❶ 시장 ❷ 지도

개념 체크

○─ 정답과 풀이 9쪽

1 개인, 기업, 지역, 국가 등은 경제적 교류를 할 수 □□□□.

2 경제적 교류는 □□ 활동과 함께 더욱 활발히 이루어지기도 합니다.

3 옥돔, 감귤, 한라봉 등을 볼 수 있는 박람회 홍보관은 □□□ 홍보관입니다.

보기
· 있습니다 · 없습니다
· 문화   · 갈등
· 강원도   · 제주도

1 경제적 교류를 하는 대상으로 알맞지 <u>않은</u> 것은 어느 것입니까? (   )

① 지역과 지역   ② 개인과 기업

③ 국가와 국가   ④ 동물과 식물

⑤ 기업과 지역

2 다음과 같은 특징의 경제적 교류의 방법과 관련 <u>없는</u> 사진을 찾아 기호를 쓰시오.

> 장소나 시간에 관계없이 상품의 정보를 얻을 수 있습니다.

▲ 홈 쇼핑

▲ 인터넷 쇼핑

▲ 전통 시장

(   )

3 다음 어린이의 말과 같은 일을 할 수 있게 된 까닭은 어느 것입니까? (   )

> 지민 : 다른 지역의 대형 시장에 가서 직접 물건을 사기 쉬워졌어요.

① 교통이 발달해서   ② 인구가 늘어나서

③ 농촌이 사라져서   ④ 외국인이 많아져서

⑤ 지역 간의 교류가 줄어서

4 대형 시장을 이용한 경제적 교류의 특징을 알맞게 말한 어린이는 누구인지 쓰시오.

> 경찬 : 광고 상품과 실제 상품이 다른 경우가 있어.
>
> 석규 : 신선하고 질이 좋은 상품을 직접 확인하고 살 수 있어.

(   )

집중 **연습 문제**   **지역의 대표 상품**

3주

[5~6] 다음 지도를 보고, 물음에 답하시오.

우리나라에 이렇게 다양한 상품들이 있다고?

5 위 지도를 통해 알 수 있는 것을 보기 에서 찾아 기호를 쓰시오.

> **보기**
>
> ㉠ 지역마다 모두 똑같은 대표 상품을 가지고 있습니다.
> ㉡ 대표 상품을 중심으로 지역 간 경제 활동이 이루어집니다.

(   )

6 박람회에 참여한 제주도 홍보관에서 볼 수 있는 것으로 가장 알맞은 것은 어느 것입니까? (   )

① 황태   ② 한우   ③ 보석   ④ 한라봉   ⑤ 반도체

제주도 홍보관에서 볼 수 있는 다른 것을 한 가지만 써 볼까?

3일 다양한 문화와 편견과 차별

🐰 문화 활동을 해 보자.

📍 **문화**

사람들이 가지고 있는 공통의 생활 방식

예 사회의 발전 속도가 빨라지면서 여러 가지
☐ ① ☐ 가 나타나고 있다.

▲ 주변에서 볼 수 있는 다양한 문화의 모습

정답 ① 문화

편견과 차별은 안 돼!

용어 체크

편견

공정하지 못하고 한쪽으로 치우친 의견이나 생각

예 어린이들은 ❶ [   ] 없는 문화 속에서 자라나야 한다.

차별

어떤 기준을 두어 대상을 구별하고 다르게 대우하는 것

예 모두가 행복한 사회를 만들기 위해서는 ❷ [   ] 하는 태도를 버려야 한다.

정답 ❶ 편견 ❷ 차별

개념 동영상

1 다양한 문화의 모습에는 무엇이 있을까?

옷차림

더운 지역에서는 천으로 된 긴 옷을 입음.

추운 지역에서는 털옷을 입음.

음식을 먹는 모습

젓가락을 사용하고 쌀밥, 나물 등을 먹음.

포크와 나이프를 사용하고 샐러드, 빵 등을 먹음.

집의 모양

이동이 쉽도록 나무와 천으로 만든 집에서 생활함.

더위와 습기를 피하려고 나무로 만든 물 위의 집에서 생활함.

사람들은 다양한 문화 속에서 함께 살아가고 있어.

지역마다 다른 옷을 입고, 다른 것을 먹고, 다른 집에 사는 것 등은 모두 ❶(기후 / 문화)입니다.

2 일상생활에서 나타나는 편견과 차별에는 무엇이 있을까?

편견

음식을 먹는 방법에 대한 편견
왜 음식을 손으로 먹지?

피부색에 대한 편견
숭례문에 가려면 어디로 가야 하나요?
이 방향으로 조금만 더 가면 돼요!
숭례문에 가려면 어디로 가야 하나요?
잘 몰라요.

차별

편견 때문에 차별이 나타나.

장애에 대한 차별
자격증
일을 잘할 수 있을까?

남녀에 대한 차별
여자 직원들이 더 적합해.
남자 직원들이 많았으면 좋겠어.

✔ 우리 주변에는 **피부색, 나이,** ②(성격 / 성별) 등에 따라 부당한 대우를 받는 사람들이 있습니다.

정답 ❶ 문화 ❷ 성별

🐻 개념 체크

○ 정답과 풀이 10쪽

1 더운 지역과 추운 지역의 옷차림은 ☐☐☐☐.

2 문화에는 ☐☐들의 옷차림, 먹는 음식, 사는 집 등이 포함됩니다.

3 편견 때문에 ☐☐이/가 나타납니다.

보기
• 같습니다　• 다릅니다
• 동물　• 사람
• 차별　• 언어

3
주

1 다음 그림에 대해 바르게 설명한 어린이는 누구인지 쓰시오.

> 지윤 : 두 그림 속 사람들이 모두 같은 음식을 먹고 있네.
> 두리 : 두 그림 속 사람들이 음식을 먹을 때 사용하고 있는 도구가 달라.

(   )

2 문화에 대한 설명으로 알맞은 것은 어느 것입니까? (   )

① 집의 모양은 문화에 해당되지 않는다.
② 음식을 먹는 방법은 문화라고 할 수 없다.
③ 하나의 지역은 하나의 문화만을 가지고 있다.
④ 사람들은 다양한 문화 속에서 살아가고 있다.
⑤ 더운 지역과 추운 지역 사람들은 같은 옷차림을 하고 있다.

3 추운 지역에서 나타나는 문화에 해당되는 것을 찾아 기호를 쓰시오.

▲ 털옷을 입는 것   ▲ 나무로 만든 물 위의 집에서 사는 것

(   )

4 다음 ☐ 안에 들어갈 말로 알맞지 <u>않은</u> 것은 어느 것입니까? (   )

> 우리 주변에는 ☐ 등이 다르다는 이유로 사람들과 사회로부터 부당한 대우를 받는 사람들이 있습니다.

① 성별   ② 종교   ③ 날씨
④ 나이   ⑤ 피부색

집중 연습 문제 **차별**

5 다음에서 설명하는 말로 알맞은 것은 어느 것입니까? (   )

> • 편견 때문에 나타납니다.
> • 어떤 기준을 두어 대상을 구별하고 다르게 대우하는 것입니다.

① 존중   ② 배려   ③ 이해
④ 양보   ⑤ 차별

6 다음 그림은 무엇에 대한 차별인지 보기 에서 찾아 쓰시오.

보기
• 장애
• 나이
• 남녀

(   )

4일 편견과 차별의 해결

이해와 존중을 위한 토의가 필요해.

용어 체크

토의
어떤 문제에 대하여 검토하고 협의함.
예 우리 반은 편견과 차별이 없는 학급을 만들기 위해 ❶[　　　]를 하여 규칙을 만들었다.

이해
남의 사정을 잘 헤아려 너그러이 받아들임.
예 우리 주변의 다양한 문화를 ❷[　　　]해야 한다.

정답 ❶ 토의 ❷ 이해

도시를 엉망으로 만든 주범은 누구?

용어 체크

♀ 존중

높이어 매우 중요하게 대함.

예 나와 다른 의견을 가진 사람도 반드시

[❶   ] 해야 한다.

♀ 공익 광고

사회 전체의 이익을 목적으로 하는 광고

예 사회 전체의 문제를 해결하기 위해

[❷   ] 가 사용되기도 한다.

정답 ❶ 존중   ❷ 공익 광고

▶ 개념 동영상

1 학교에서의 편견과 차별 사례는 무엇이 있을까?

지민이의 일기

○○월 ○○일 ○요일

오늘 학교에서 다음 주에 할 '학급 체육의 날'에 어떤 경기를 할지 이야기하는 시간이 있었다. 남자아이들 몇 명이 남자는 축구, 여자는 피구를 하자고 말했다. 나와 몇몇 여자아이들이 축구를 하고 싶다고 말했지만, 여자라는 이유로 끼워주려고 하지 않았다. 여자라서 축구를 못할 거라면서 말이다.

나는 당황스럽고 화가 났다. 실력과는 상관없이 여자라서 못 할 거라니 이해가 되지 않았다. 이 문제를 어떻게 해결해야 할지 친구들과 더 이야기해 봐야겠다.

자신이 원하는 종목에 참여하지 못하는 **차별**을 겪고 있음.

편견을 가지고 있음.

토의를 통해
학급 규칙 만들기

규칙의 조건

• 우리 반 친구들이 지킬 수 있는 내용이어야 함.
• 서로를 이해하고 존중하는 것을 바탕으로 해야 함.
• 친구 모두를 위한 규칙이어야 함.

편견과 차별을 없애는 규칙

'학급 체육의 날' 운동 종목 정하기

• 자신이 원하는 운동 종목에 참여하기
• 남녀 구분 없이 자신이 잘하는 경기에 참여하기

 '학급 체육의 날'에 ❶(실력 / 성별)에 따라 원하는 종목에 참여하지 못하는 것은 편견과 차별의 사례 중 하나입니다.

2 편견과 차별이 없는 세상을 위해 어떤 노력을 하고 있을까?

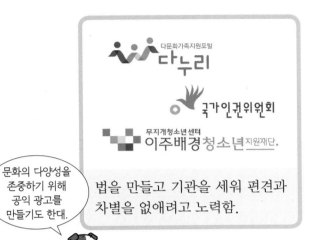

문화의 다양성을 존중하기 위해 공익 광고를 만들기도 한대.

법을 만들고 기관을 세워 편견과 차별을 없애려고 노력함.

다양한 문화를 가진 사람들이 함께 어울릴 수 있는 자리를 마련함.

알맞은 교육을 제공하고 능력을 발휘할 기회를 줌.

사람들의 피부색은 다양하기 때문이야.

편견이나 차별의 뜻이 담긴 말을 바꿈.

☑ 법과 기관을 만들고, 모두가 함께 ❷(어울리는 / 무시하는) 자리를 마련하는 등 다양한 노력을 하고 있습니다.

정답 ❶ 성별 ❷ 어울리는

🐻 **개념 체크**

◦ 정답과 풀이 10쪽

1 실력과 상관없이 여자라서 축구를 못할 것이라는 생각은 ☐☐입니다.

2 모두를 위한 학급 규칙을 만들 때는 ☐☐이 바탕이 되어야 합니다.

3 편견과 차별의 뜻이 담긴 살색 대신 ☐☐색이라는 말을 사용합니다.

보 기
• 편견   • 정답
• 존중   • 비난
• 하양   • 살구

[1~2] 다음 지민이의 일기를 읽고, 물음에 답하시오.

> ○○월 ○○일 ○요일   날씨 ☆
>
> 오늘 학교에서 다음 주에 할 '학급 체육의 날'에 어떤 경기를 할지 이야기하는 시간이 있었다. ㉠ 남자아이들 몇 명이 남자는 축구, 여자는 피구를 하자고 말했다. ㉡ 나와 ㉢ 몇몇 여자아이들이 축구를 하고 싶다고 말했지만, 여자라는 이유로 끼워 주려고 하지 않았다.

1 위 일기에서 편견과 차별의 태도를 가지고 있는 사람을 찾아 기호를 쓰시오.

(   )

2 위 일기에서 찾아볼 수 있는 차별로 알맞은 것은 어느 것입니까? (   )

① 학급 규칙을 만들지 못하는 차별

② 남학생도 피구에 참여할 수 있다는 차별

③ '학급 체육의 날'에 참여하지 못하는 차별

④ 자신이 원하는 종목에 참여하지 못하는 차별

⑤ 원하는 종목에 자유롭게 참여할 수 있는 차별

3 학급 규칙의 조건으로 알맞은 것은 어느 것입니까? (   )

① 이해와 존중이 바탕이 되어야 한다.

② 일부 친구들만을 위한 규칙이어야 한다.

③ 친구들이 모두 반대하는 규칙이어야 한다.

④ 서로를 질투하는 것을 바탕으로 해야 한다.

⑤ 우리 반 친구들이 지킬 수 없는 내용을 포함해야 한다.

4 교실에서 편견과 차별을 없애는 규칙으로 알맞지 <u>않은</u> 것을 찾아 기호를 쓰시오.

> **'학급 체육의 날 운동 종목 정하기'**
>
> ㉠ 자신이 원하는 운동 종목에 참여하기
>
> ㉡ 여자아이들의 의견만을 모아 운동 종목 정하기

(   )

3주

🐻 **집중 연습 문제** **존중하는 세상을 위한 사회적 노력**

5 편견과 차별 없는 세상을 위한 사회적인 노력을 알맞게 말한 어린이는 누구인지 쓰시오.

법을 만들어서 편견과 차별을 없애기 위해 노력해.

▲ 희원

다양한 문화를 가진 사람들을 멀리해야 해.

▲ 의찬

편견과 차별없이 다른 문화도 우리 문화처럼 존중해야 해.

(   )

6 오른쪽 색깔을 살색 대신 살구색으로 바꾸어 부르기로 한 까닭은 어느 것입니까?

(   )

① 사람의 피부색이 다양하기 때문에

② 사람의 피부색은 하나이기 때문에

③ 살구색이라는 말이 더 예쁘기 때문에

④ 살색에는 차별의 뜻이 담겨 있기 때문에

⑤ 사람의 피부색이 살색보다 살구색에 더 가깝기 때문에

편견과 차별 없는 세상을 위해선 사회적인 노력과 우리들의 노력이 모두 필요해.

1 경제적 교류

경제적 교류는 사는 곳의 자연환경과 생산 기술, 자원 등이 다르기 때문에 발생해.

① 뜻 : 개인이나 지역이 경제적 이익을 얻기 위해 물건, 기술, 정보 등을 서로 주고 받는 것

② 대상 : 개인, 기업, 지역, 국가 등

③ 필요한 까닭

상품 전시회	여러 가지 유용한 정보를 주고받을 수 있어서
직거래 장터	지역의 특산물을 소개하거나 지역을 홍보할 수 있어서
기술 협력	더 나은 상품을 개발할 수 있어서

④ 경제적 교류의 방법

대중 매체

장소나 시간에 관계없이 상품의 정보를 얻음.

대형 시장

상품을 직접 확인해 살 수 있음.

문화 활동

문화 활동과 함께 더욱 활발히 이루어짐.

2 문화

문화는 사람들이 오랜 시간을 함께 생활하면서 만들어지고 전해져 내려온 거야.

① 뜻 : 사람들이 가지고 있는 공통의 생활 방식

② 다양한 문화의 모습 : 사람들은 저마다 자신만의 문화를 즐기며 사람들과 어울려 살아갑니다.

킥보드 타기

공을 이용한 운동하기

가족과 연 날리기

3 편견과 차별

우리는 친구의 다른 문화를 이해하고 존중해 줘야 해!

① **편견** : 공정하지 못하고 한쪽으로 치우친 의견이나 생각

음식을 먹는 방법에 대한 편견

왜 음식을 손으로 먹지?

특정 국가에 대한 편견

넌 ○○○에서 왔지?

그 나라는 …….

② **차별** : 어떤 기준을 두어 대상을 구별하고 다르게 대우하는 것

장애에 대한 차별

일을 잘 할 수 있을까?

합격증

남녀에 대한 차별

여자 직원들이 더 적합해.

남자 직원들이 많았으면 좋겠어.

3
주

📢 ⏰ ○ 📶100%

 이것 봐! 물 위에 있는 집이야.
이런 집에 살면 매일 물놀이를 할 수 있을 텐데!

우와~ 신기하게 생긴 집이네. 우리나라에서는 한 번도 본 적 없는데. 집이 왜 이렇게 높은 곳에 있지?

 더운 지역에서는 땅에서 올라오는 더위와 습기를 피하기 위해 이런 집에 살기도 한대.

집의 모양에서도 다양한 문화의 모습을 살펴볼 수 있구나.

1일 경제적 교류

1 다음 그림을 보고 알 수 있는 내용으로 알맞은 것은 어느 것입니까? (   )

① 두 지역은 서로 주고받는 것이 없다.

② 두 지역은 서로 경제적 교류를 하고 있다.

③ 재준이네 지역만 경제적 이익을 얻고 있다.

④ 영희네 지역은 포도를 생산하여 팔고 있다.

⑤ 재준이네 지역과 영희네 지역은 자연환경이 같다.

2 다음은 경제적 교류가 발생하는 까닭입니다. (   ) 안의 알맞은 말에 ○표를 하시오.

> 개인, 지역, 국가 간의 경제적 교류는 사는 곳의 자연환경과 생산 기술, 자원 등이
> (같기 / 다르기) 때문에 발생합니다.

3 오른쪽 사진은 상품의 무엇을 통해 생산지를 확인하는 방법입니까? (   )

① 가격

② QR 코드

③ 통계 자료

④ 포장지 재질

⑤ 품질 인증 표시

2일 경제적 교류의 방법

4 다음 그림에서 경제적 교류를 하는 대상을 보기 에서 찾아 기호를 쓰시오.

보기
㉠ 개인과 기업
㉡ 국가와 지역
㉢ 국가와 국가

(   )

5 다음 신문 기사에서 나타난 경제적 교류의 방법으로 알맞은 것은 어느 것입니까? (   )

> 서울특별시 '방콕의 날' 문화 행사 열어

① 대중 매체를 이용한 경제적 교류
② 대형 시장을 이용한 경제적 교류
③ 지역 간 대표 자원의 경제적 교류
④ 다양한 문화 활동과 함께하는 경제적 교류
⑤ 촌락과 도시의 생산물에 따른 경제적 교류

6 다음에서 설명하는 말은 무엇인지 보기 에서 찾아 쓰시오.

> • 지역을 대표하는 상품을 다른 지역에 소개하고 파는 곳
> • 일정 기간 동안 선전을 위해 온갖 물품을 사람들에게 보이는 행사

보기
• 박람회
• 연주회

(   )

3일 **다양한 문화와 편견과 차별**

[7~8] 다음 사진을 보고, 물음에 답하시오.

7 위 사진을 보고 ( ) 안에 들어갈 알맞은 말에 ○표를 하시오.

> 위 사진을 보면 두 지역의 (옷차림 / 식생활)이 다른 모습을 볼 수 있습니다.

8 위와 같은 모습이 나타나는 까닭으로 알맞은 것은 어느 것입니까? ( )

① 인구가 달라서

② 날씨가 달라서

③ 언어가 같아서

④ 집의 모양이 같아서

⑤ 먹는 음식이 같아서

9 편견에 대한 설명으로 알맞은 것은 어느 것입니까? ( )

① 차별의 원인이 된다.

② 살기 좋은 세상을 만든다.

③ 공정한 의견이나 생각을 말한다.

④ 우리 사회에서 사라져서는 안 된다.

⑤ 우리 주변에서 전혀 찾아볼 수 없다.

10 학급 회의에서 정할 규칙의 조건으로 알맞은 것에 ○표를 하시오.

(1) 선생님과 반장을 위한 규칙이어야 합니다. ( )

(2) 우리 반 친구들이 지킬 수 있는 내용이어야 합니다. ( )

서술형

11 다음과 관련 있는 편견과 차별 없는 세상을 만들기 위한 사회적인 노력을 쓰시오.

_____

_____

똑똑한 하루 퀴즈

12 다음에서 설명하는 낱말을 말 상자에서 모두 찾아 ○표를 하세요. 말 상자의 낱말은 가로, 세로, 대각선에 숨어 있어요.

문	편	리	🐻	교
화	🐱	견	직	류
시	대	중	매	체
다	양	성	차	🐰
👶	기	업	익	별

① 사람들이 가지고 있는 공통의 생활 방식

② 어떤 기준을 두어 대상을 구별하고 다르게 대우하는 것

③ 신문, 텔레비전 등 많은 사람에게 대량으로 사실이나 정보를 전달하는 수단

1 다음 교류에 대한 설명에서 ( ) 안의 알맞은 말에 ○표를 하시오.

> 개인이나 지역이 경제적 이익을 얻기 위해 물건, 기술, 정보 등을 서로 주고받는 것을 (정치적 / 경제적) 교류라고 합니다.

2 경제적 교류가 발생하는 까닭을 알맞게 말한 어린이를 쓰시오.

> 사는 곳의 자연환경, 생산 기술 등이 다르기 때문이야.

> 모두가 똑같은 자원을 가지고 있기 때문이야.

▲ 예주   ▲ 대경

( )

3 상품의 생산지(원산지)를 조사하는 방법이 아닌 것은 어느 것입니까? ( )

① QR 코드 스캔하기
② 상품 정보 확인하기
③ 품질 인증 표시 확인하기
④ 상품의 유통 기한 확인하기
⑤ 대형 할인점의 광고지 확인하기

4 다음의 장소에서 경제적 교류를 하는 까닭으로 알맞은 것은 어느 것입니까? ( )

▲ 대형 시장

① 가격이 싸서
② 사은품을 받을 수 있어서
③ 상품의 정보를 얻기 어려워서
④ 상품을 직접 확인하고 살 수 있어서
⑤ 시간에 관계없이 상품을 살 수 있어서

5 다음 지역의 박람회 홍보관에서 볼 수 있는 대표 상품 두 가지를 보기 에서 찾아 쓰시오.

보기

• 쌀	• 감귤	• 반도체
• 옥수수	• 한라봉	• 보석

(,)

○ 정답과 풀이 11쪽

6 다음 그림을 보고 알 수 있는 사실을 알맞게 말한 어린이는 누구인지 쓰시오.

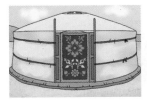 

▲ 나무와 천으로 만든 집　　▲ 나무로 만든 물 위의 집

> 예린 : 집의 모양은 문화라고 할 수 없어.
> 재혁 : 집의 모양과 집을 만든 재료가 다르네.

(　　　　　　　　　)

7 다음 편견과 차별의 뜻을 바르게 줄로 이으시오.

(1) 편견 •

(2) 차별 •

• ㉠ 어떤 기준을 두어 다르게 대우하는 것

• ㉡ 공정하지 못한 의견이나 생각

8 다음 그림은 무엇에 대한 편견입니까? (　　　)

① 성별　　② 나이　　③ 피부색
④ 옷차림　　⑤ 먹는 음식

9 다음 대화에서 편견을 가지고 있는 어린이를 두 명 고르시오. (　　,　　)

> 동준 : '학급 체육의 날'에 남자는 축구, 여자는 피구를 하면 좋겠어.
> 효정 : 하지만 축구를 하고 싶은 여자아이들도 있지 않을까?
> 수연 : 나도 여자이지만 축구가 좀 더 하고 싶어.
> 재웅 : 여자는 남자보다 축구를 못해서 안 돼.
> 윤수 : 남자아이들 중에는 피구를 더 하고 싶은 사람도 있을 거야.

① 동준　　② 효정　　③ 수연
④ 재웅　　⑤ 윤수

10 '살색' 대신 다음 크레파스의 색을 부르는 말을 **보기** 에서 찾아 쓰시오.

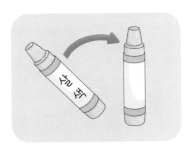

보기

> • 흰색　　• 검은색　　• 살구색

(　　　　　　　　　)

3주 특강

생활 속 사회

다양한 지역의 대표 상품을 알아봅니다.

 ## 지역의 대표 상품을 소개하는 박람회

1 다음 보기 는 박람회 홍보관에서 볼 수 있는 물건들입니다. 각 홍보관에 맞게 분류하여 기호를 쓰세요.

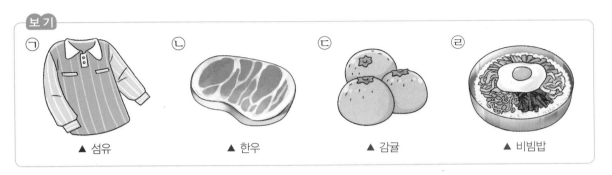

보기
㉠ ▲ 섬유   ㉡ ▲ 한우   ㉢ ▲ 감귤   ㉣ ▲ 비빔밥

(1)

제주도 홍보관
(   )

(2)

전라북도 홍보관
(   )

(3)

강원도 홍보관
(   )

(4)

대구광역시 홍보관
(   )

3 주 특강

사고 쑥쑥

상품의 원산지를 조사하는 방법에 대해 알아봅니다.

2 상품의 원산지를 <u>잘못된</u> 방법으로 조사하고 있는 친구에 ○표를 하세요.

다양한 경제적 교류의 방법에 대해 알아봅니다.

3 경제적 교류에 관한 ○✕ 퀴즈를 풀어 도착 지점까지 선으로 연결하세요.

출발

경제적 교류를
하는 대상은
다양합니다.

지역마다
자연환경이 같아서
생산하는 물건도
같습니다.

대형 시장에서
경제적 교류를 하면
상품을 직접 확인하고
살 수 있습니다.

홈 쇼핑은 대형 시장을
이용한 경제적 교류
방법입니다.

대중 매체를 이용하여
경제적 교류를
하기도 합니다.

여러 지역이
협력해 교류하기도
합니다.

도착

3주 특강

논리 탄탄

암호를 풀며 사람들의 공통의 생활 방식에 대해 알아봅니다.

4 암호 해독표를 보고, 다음 만화 속 암호를 풀어 보세요.

암호 해독표

☆	◆	★	◇	□	♥	♫	■	♡	♣	♠	♣	♤	▣
ㄱ	ㄴ	ㄷ	ㄹ	ㅁ	ㅂ	ㅅ	ㅇ	ㅈ	ㅊ	ㅋ	ㅌ	ㅍ	ㅎ

①	②	③	④	⑤	⑥	⑦	⑧	⑨	⑩	⑪	⑫	⑬	⑭
ㅏ	ㅑ	ㅓ	ㅕ	ㅗ	ㅛ	ㅜ	ㅠ	ㅡ	ㅣ	ㅐ	ㅒ	ㅔ	ㅖ

해독한 암호

편견과 차별에 대한 질문을 보고, 도착까지 가는 길을 완성해 봅니다.

5 질문에 알맞은 대답을 찾아 화살표로 가는 길을 표시해 보세요.

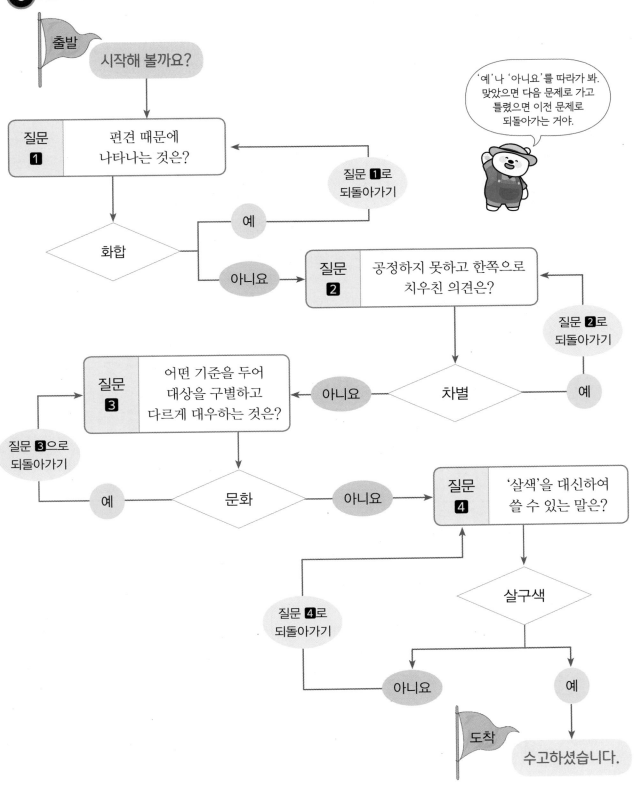

▲ 학생 수가 줄어든 오늘날의 교실

노인 전문 시설이 예전보다 많이 늘어났어.

▲ 노인 전문 병원

저출산 ———— 고령화

사회 변화

정보화 ———— 세계화

▲ 인터넷을 활용한 화상 통화

사회 변화로 우리 생활은 편리해졌지만 그에 따른 문제도 발생했어.

▲ 우리나라에서 활동하는 외국인 선수

사회 변화로 달라진 우리 주변의 모습과 특징을 잘 알아 두어야 해.

저출산

低 出 産
낮을 저 날 출 낳을 산

태어나는 아이들이 줄어들어서 걱정이야.

뜻 아이를 적게 낳아 사회 전반적으로 출산율이 감소하는 현상

예 정부는 **저출산** 문제를 해결하기 위해 출산 장려 정책을 실시하고 있다.

고령화

高 齡 化
높을 고 나이 령 될 화

뜻 한 사회의 인구 구성에서 노년 인구의 비율이 점점 높아지는 현상

예 오늘날 **고령화** 현상은 세계 여러 지역으로 확산되고 있다.

정보화

情 報 化
사정 정 알릴 보 될 화

뜻 정보가 산업과 사회 발전의 중심이 되어 가는 것

예 **정보화** 사회가 되면서 우리 생활은 빠르고 편리해졌다.

인터넷

인터넷을 통해 많은 것을 할 수 있어!

뜻 정보를 교환할 수 있도록 전 세계의 컴퓨터가 연결된 통신망

예 **인터넷**을 이용하면 세계 여러 나라의 많은 정보를 언제든지 쉽게 얻을 수 있다.

사회 변화와 관련된 다양한 용어가 있어. 그중에서 저출산, 고령화, 정보화, 세계화는 꼭 기억해!

개인 정보

個 人
하나 **개** 사람 **인**
情 報
사정 **정** 알릴 **보**

뜻 개인을 알아볼 수 있는 이름, 주소, 전화번호 등의 정보

예 개인 정보가 유출되면 사생활을 침해받을 수 있으며, 범죄에 악용될 수 있다.

세 계 화

世 界 化
인간 **세** 경계 **계** 될 **화**

뜻 세계가 점점 더 가까워지고 이전보다 훨씬 많은 영향을 서로 주고받게 되는 현상

예 세계화로 인해 다른 나라의 음식을 쉽게 접할 수 있게 되었다.

4
주

전통문화

傳 統
전할 **전** 거느릴 **통**
文 化
글월 **문** 될 **화**

뜻 한 나라에서 발생하여 전해 내려오는 그 나라 고유의 문화

예 전통문화를 계승하고 발전시켜 나가는 것은 매우 중요하다.

어제 부모님과 함께 내가 좋아하는 외국인 운동 선수의 경기를 인터넷으로 예매했어.

정보화와 세계화의 장점을 동시에 이용했구나!

짝 짝 짝

1일 달라진 생활 모습

오늘날에 맞는 도시 만들기!

용어 체크

요양원

환자들이 쉬면서 병을 치료할 수 있도록 시설을 갖추어 놓은 보건 기관

예 고령화 현상이 심해짐에 따라 ❶ [   ]이나 요양 병원 같은 노인 전문 시설이 늘어나고 있다.

▲ 노인 전문 시설

정답 ❶ 요양원

학교의 모습도 옛날과 달라졌대.

인터넷

용어 체크

인터넷

전 세계의 컴퓨터가 서로 연결되어 정보를 교환할 수 있는, 하나의 거대한 컴퓨터 통신망

예 현대 사회에서는 많은 일을 ❶ [   ] 을 통해 해결하고 있다.

정답 ❶ 인터넷

1 사회 변화로 우리 마을은 어떻게 달라졌을까?

노인 전문 시설

노인정, 요양원, 노인 전문 병원 등
노인 전문 시설이 생김.

밖에서도 쉽게
인터넷으로 정보를
얻을 수 있어.

버스 운행 정보 알림판

정보를 알려 주는 기계가 늘어남.

옛날에는
학생 수가 엄청
많았대!

옛날의 교실

오늘날의 교실

학생의 수가 줄어들었고, 교실에
텔레비전이나 컴퓨터가 있음.

샌드위치 가게

샌드위치, 쌀국수 등 다양한 나라
의 음식을 파는 가게가 많아짐.

☑ 사회 변화로 인해 **노인 시설이 늘고** ❶(학생 / 어른) 수가 줄어들었으며, 세계 여러 나라의 음식들을
먹을 수 있게 되었습니다.

2 사회 변화로 우리 주변 모습은 어떻게 달라졌을까?

인터넷을 사용하여 많은 정보를 얻음.

제조국명 : 베트남
원산지 : 영국
원산지 : 미국산
제조국 : 대한민국

다른 나라와 활발하게 교류함.

다른 나라에서 생산된 물건을 살 수 있어!

달라진 모습

태어나는 아이의 수가 줄어듦.

노인들이 많아짐.

☑ 길을 찾을 때 ❷(휴대폰 / 교과서)을/를 이용하고, 다른 나라와 교류하는 등 주변 모습이 달라졌습니다.

정답 ❶ 학생 ❷ 휴대폰

개념 체크

○ 정답과 풀이 13쪽

1 사회 변화로 버스 운행 정보 알림판 같이 정보를 알려 주는 ☐☐ 가 생겼습니다.

2 오늘날에는 옛날에 비해 학생의 수가 ☐☐ 졌습니다.

3 사회 변화로 ☐☐ 들이 많아지고 있습니다.

보 기
- 기계
- 학교
- 많아
- 적어
- 노인
- 아이

개념 확인하기

○ 정답과 풀이 13쪽

1 오늘날의 교실 사진으로 알맞은 것에 ○표를 하시오.

(1)

(   )

(2)

(   )

2 다음 그림과 같은 시설들이 생기는 까닭은 무엇입니까? (   )

① 인터넷을 많이 사용하기 때문에

② 노인들이 많아지고 있기 때문에

③ 태어나는 아이의 수가 적기 때문에

④ 다른 나라와 활발하게 교류하기 때문에

⑤ 교실에 텔레비전이나 컴퓨터가 있기 때문에

▲ 노인 전문 병원

3 사회 변화로 달라진 마을의 모습에 대해 <u>잘못</u> 말한 어린이는 누구인지 쓰시오.

> 현동 : 학생의 수가 점점 늘어나고 있어.
>
> 하원 : 버스 운행 정보 알림판을 통해 버스 도착 시간을 알 수 있어.

(   )

4 다음 사진과 관련 있는 사회의 변화로 알맞은 것은 어느 것입니까? (   )

① 인터넷의 사용이 줄어들었다.

② 태어나는 아이의 수가 늘어났다.

③ 다른 나라와 활발하게 교류한다.

④ 교실에 텔레비전이나 컴퓨터가 없어졌다.

⑤ 노인정에서 시간을 보내는 노인들이 줄어들었다.

▲ 다른 나라의 물건을 파는 모습

5 인터넷의 발달과 관련 있는 것의 기호를 찾아 쓰시오.

▲ 노인정

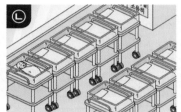

▲ 신생아 수가 감소하는 병원

▲ 컴퓨터로 정보 찾기

(   )

똑똑한 하루 퀴즈

6 뒤죽박죽 섞인 글자 카드들 속에서 사회 변화와 관련하여 □ 안에 들어갈 알맞은 말을 찾아 쓰세요.

오늘날 사회의 변화로 밖에서도 쉽게 □□□으로 정보를 얻을 수 있게 되었습니다.

2일 저출산 · 고령화

저출산 현상은 어떤 영향을 줄까?

용어 체크

저출산

태어나는 아이의 수가 줄어드는 현상

[예] 계속된 [❶] 현상으로 일할 사람이 줄어들고 있으며, 경제에도 영향을 미치고 있다.

출생아 수 변화 ▶

저출산을 지혜롭게 대비하는 방법!

용어 체크

♀ 복지 제도

국민이 행복한 사회를 만들기 위해 국가에서 실시하는 제도

예 고령화 현상을 대비하기 위해서는 노인들을 위한 ❶ [   ] 를 늘려야 한다.

♀ 육아 휴직

어린 아이를 기르기 위해 부모가 일정한 기간 동안 직무를 쉴 수 있게 해 주는 제도

예 오늘날에는 ❷ [   ] 제도의 필요성이 높아지고 있다.

정답 ❶ 복지 제도   ❷ 육아 휴직

1 저출산 · 고령화는 일상생활에서 어떻게 나타나고 있을까?

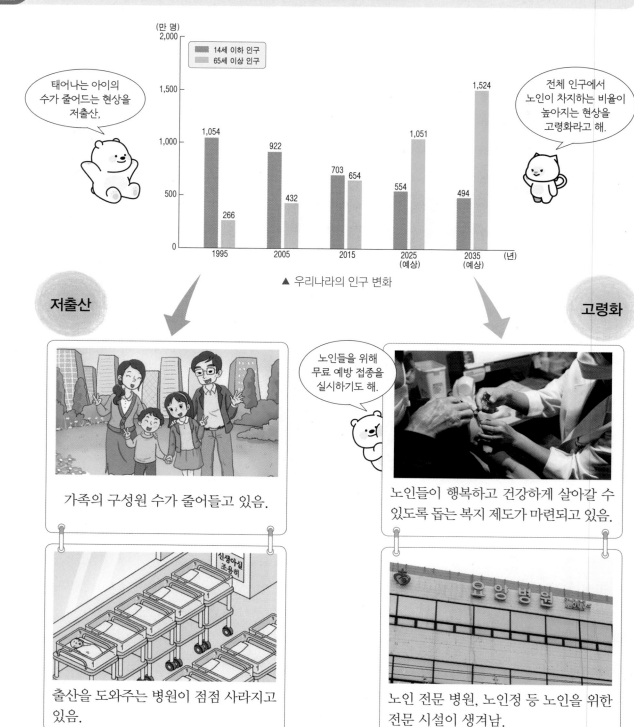

태어나는 아이의 수가 줄어드는 현상을 저출산,

전체 인구에서 노인이 차지하는 비율이 높아지는 현상을 고령화라고 해.

(만 명)

- 14세 이하 인구
- 65세 이상 인구

1995: 1,054 / 266
2005: 922 / 432
2015: 703 / 654
2025(예상): 554 / 1,051
2035(예상): 494 / 1,524

(년)

▲ 우리나라의 인구 변화

저출산

고령화

노인들을 위해 무료 예방 접종을 실시하기도 해.

가족의 구성원 수가 줄어들고 있음.

노인들이 행복하고 건강하게 살아갈 수 있도록 돕는 복지 제도가 마련되고 있음.

출산을 도와주는 병원이 점점 사라지고 있음.

노인 전문 병원, 노인정 등 노인을 위한 전문 시설이 생겨남.

☑ 가족의 구성원 수가 ❶(줄어들고 / 늘어나고), 노인을 위한 시설이 생겨나는 등 여러 분야에서 변화가 일어나고 있습니다.

2 저출산·고령화를 대비하기 위한 방법에는 무엇이 있을까?

저출산을 대비하기 위한 방법이야.

세대 간에 서로 소통하고 배려하는 태도를 기름.

걱정없이 아이를 낳아 키울 수 있도록 다양한 지원을 해 줌.

▲ 다자녀 우대 카드

노인들을 위한 복지 제도를 늘려야 함.

노인들이 사회 활동을 할 수 있도록 지원함.

☑ 아이를 키울 때 필요한 지원을 해 주고, 노인들을 위한 ❷(복지 / 육아 휴직) 제도를 늘려야 합니다.

정답 ❶ 줄어들고 ❷ 복지

개념 체크

◦ 정답과 풀이 13쪽

1 고령화는 전체 인구에서 [ ][ ]이/가 차지하는 비율이 높아지는 현상입니다.

2 저출산 현상으로 인해 출산을 도와주는 [ ][ ]이 점점 사라지고 있습니다.

3 다자녀 우대 카드는 [ ][ ][ ]을/를 대비하기 위한 방법 중 하나입니다.

보기
• 아이   • 노인
• 병원   • 시장
• 저출산   • 고령화

[1~2] 다음 그래프를 보고, 물음에 답하시오.

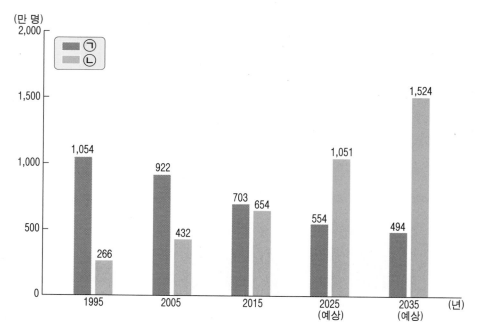

1 위 그래프에서 ㉠, ㉡ 중 65세 이상 인구를 나타낸 것을 찾아 기호를 쓰시오.

( )

2 위 그래프의 제목으로 알맞은 것은 어느 것입니까? ( )

① 출생아 수 변화

② 귀촌 가구 수 변화

③ 우리나라의 인구 변화

④ 전국 초등학생 수 변화

⑤ 일하는 노인의 수 변화

3 다음은 저출산과 고령화 중 어떤 사회 현상을 대비하기 위한 방법인지 쓰시오.

• 노인들이 사회 활동을 할 수 있도록 지원해야 합니다.
• 연금, 의료 서비스 등 노인을 위한 복지 제도를 마련해야 합니다.

( )

4 저출산 · 고령화 사회에서 살아가는 데 가져야 할 태도를 보기 에서 찾아 기호를 쓰시오.

보기
ㄱ 어린이를 무시하는 태도
ㄴ 세대 간에 소통하는 태도
ㄷ 다른 세대를 이해하지 않는 태도

(   )

집중 **연습 문제** 저출산

[5~6] 다음 사진을 보고, 물음에 답하시오.

▲ 노인 전문 시설

▲ 다자녀 우대 카드

5 저출산 현상과 관련 있는 사진을 찾아 기호를 쓰시오.

(   )

6 위 ㄴ과 같은 카드를 만든 까닭은 무엇입니까? (   )

① 노인 인구를 늘리기 위해서

② 다른 나라와 쉽게 교류하기 위해서

③ 태어나는 아이의 수를 줄이기 위해서

④ 아이를 기르는 데 도움을 주기 위해서

⑤ 노인들에게 일자리를 제공하기 위해서

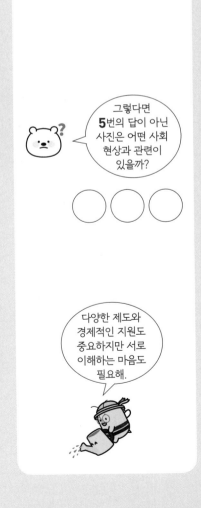

그렇다면 **5**번의 답이 아닌 사진은 어떤 사회 현상과 관련이 있을까?

◯ ◯ ◯

다양한 제도와 경제적인 지원도 중요하지만 서로 이해하는 마음도 필요해.

정보화로 편리해진 세상!

정보화

정보가 사회의 가장 중요한 자원이 되고, 정보를 중심으로 사회나 경제가 운영되고 발전되어 가는 것

예 오늘날 [①   ] 사회가 되면서 많은 정보를 제대로 활용할 수 있는 능력을 갖는 것이 중요해졌다.

▲ 정보화 사회에서 많이 사용하는 스마트폰

정답 ❶ 정보화

정보화로 인한 문제점도 있다고?

악성 댓글

인터넷의 게시판 따위에 올려진 내용에 대해 악의적인 평가를 하여 쓴 댓글

예 정보화 사회가 되면서 ❶ [   ]로 인한 피해 사례도 증가하고 있다.

저작물

창작을 해서 자신의 권리를 주장할 수 있는 작품

예 다른 사람의 ❷ [   ]을 이용하기 위해서는 반드시 허락이 필요하다.

1 정보화로 우리의 일상은 어떻게 달라졌을까?

휴대 전화를 이용해 어디서나 은행 업무를 쉽게 볼 수 있음.

가게에 직접 가지 않아도 쉽게 물건을 살 수 있음.

정보화

사회가 발전해 나가는 데 **정보가 중요한 자원**이 되는 것

정보화로 인터넷에서 자료를 검색해서 모둠 과제를 함께 해결하기도 하지.

정보화 덕분에 사람들의 생활이 더욱 빠르고 편리해졌어!

실시간으로 교통 정보를 얻어 빠른 길로 갈 수 있음.

밖에서도 휴대 전화로 가전제품을 작동할 수 있음.

☑ 정보화로 인해 사람들은 다양한 정보와 지식을 ❶(빠르게 / 느리게) 얻을 수 있게 되었습니다.

개념 동영상

2 정보화 사회에서 나타나는 문제점은 무엇일까?

저작권 침해 발생

사람들이 우리 회사 프로그램을 불법으로 내려받아 회사가 큰 손해를 입고 있어요.

개인 정보의 유출도 증가했대.

→ 다른 것에 의지하여 존재함.

악성 댓글과 거짓 소문의 확산

인터넷에 악성 댓글이 달리고 거짓 소문이 퍼져서 속상해요.

인터넷·스마트폰 의존 현상 심화

아이들이 밤늦게까지 인터넷 게임에 빠져 있어 걱정이에요.

해결 방안
- 인터넷이나 휴대 전화로 대화할 때도 예의를 지킴.
- 다른 사람의 개인 정보와 저작물을 소중하게 생각함.
- 인터넷과 휴대 전화의 사용 시간을 정함.

✓ 정보화 사회에서는 악성 댓글, 저작권 ❷(침해 / 보호) 등의 문제가 발생합니다.

정답 ❶ 빠르게 ❷ 침해

🐻 개념 체크

◦ 정답과 풀이 14쪽

1 정보화로 사람들의 생활은 더욱 ☐☐해지고 다양하게 변화하고 있습니다.

2 정보화 사회의 문제점 중 하나는 인터넷·스마트폰 ☐☐ 현상입니다.

3 인터넷이나 휴대 전화로 대화할 때는 반드시 ☐☐을/를 지켜야 합니다.

보기
- 편리
- 불편
- 의존
- 무시
- 댓글
- 예의

1 정보화에 대한 설명으로 알맞은 것에 모두 ○표를 하시오.

(1) 사람들의 생활이 더욱 불편해지고 느려졌습니다. ( )

(2) 인터넷으로 다양한 정보와 지식을 빠르게 얻습니다. ( )

(3) 인터넷에서 자료를 검색해 모둠 과제를 해결하기도 합니다. ( )

2 다음 그림과 관련 있는 정보화 사회의 모습으로 알맞은 것은 어느 것입니까? ( )

① 친구와 약속을 잡는다.

② 집에서 동영상을 본다.

③ 실시간으로 교통 정보를 얻는다.

④ 가게에 직접 가지 않고도 물건을 산다.

⑤ 밖에서도 휴대 전화로 가전제품을 작동한다.

3 정보화로 달라지고 있는 일상생활의 모습을 알맞게 말한 어린이를 쓰시오.

민정 : 은행 업무를 보기 위해서 은행에 직접 가야 해.
동경 : 밖에서는 집에 있는 가전제품을 작동할 수 없어.
선희 : 실시간으로 교통 정보를 얻어 빠른 길로 갈 수 있어.

( )

4 다음 내용과 관련 있는 정보화 사회의 문제점은 어느 것입니까? (   )

① 저작권 침해
② 사생활 침해
③ 거짓 소문의 확산
④ 인터넷 게임 중독
⑤ 스마트폰 의존 현상

사람들이 우리 회사에서 개발한 프로그램을 불법으로 내려받아 회사가 큰 손해를 입고 있어요.

5 다음과 같은 방법을 통해 해결할 수 있는 정보화 사회의 문제점을 보기에서 찾아 기호를 쓰시오.

> 인터넷은 하루 1시간,
> 휴대 전화 사용은 30분만 하기!

보기
㉠ 악성 댓글의 확산
㉡ 인터넷·스마트폰 의존 현상 심화

(   )

4주

똑똑한 하루 퀴즈

6 '정보화 사회의 문제점'을 주제로 한 퍼즐을 완성하려고 할 때 빈칸에 들어갈 알맞은 퍼즐 조각에 ○표를 하세요.

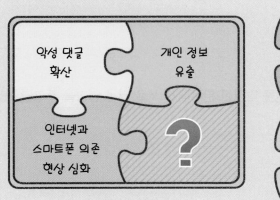

악성 댓글 확산 / 개인 정보 유출 / 인터넷과 스마트폰 의존 현상 심화 / ?

개인 정보 보호 / 인터넷 사용 시간 감소

거짓 소문 감소 / 저작권 침해 발생

4일 세계화

세계화는 어떤 영향을 가져왔을까?

🐼 **용어 체크**

📍 **세계화**

세계 여러 나라가 정치, 경제, 사회, 문화, 과학 등 다양한 분야에서 서로 많은 영향을 주고받으면서 교류가 많아지는 현상

예 교통·통신의 발달과 국가 간의 교류는 [①]에 영향을 주었다.

정답 ① 세계화

 우리가 찾던 보물은 바로!

 용어 체크

○ **전통문화**

한 나라에서 발생하여 전해 내려오는 그 나라 고유의 문화

예 현대로 오면서 많은 [① _____] 가 사라졌다.

▲ 전통문화를 체험할 수 있는 민속촌

정답 ① 전통문화

1 우리 주변에서 볼 수 있는 세계화의 모습에는 무엇이 있을까?

세계가 다양한 분야에서 교류하고 가까워진 것은 교통·통신 수단의 발달 때문이야.

우리나라에 온 다른 나라 가수의 공연을 볼 수 있음.

물건과 자원

인적 자원

문화

외국인이 우리나라에서 선수로 활동하고 있음.

다른 나라의 영화를 보고, 스파게티를 먹는 것도 세계화의 영향이래!

세계 여러 나라가 ❶(하나의 / 다양한) 분야에서 서로 영향을 주고받고 있습니다.

2 세계화가 우리 생활에 미치는 영향은 무엇일까?

우리 문화는 지키고 다른 문화의 좋은 점은 존중해야 해.

| 긍정적 영향 | 세계화 | 부정적 영향 |

세계 여러 나라의 다양한 문화를 접할 수 있음.

생활 속에서 우리의 전통문화가 점점 사라짐.

세계 여러 나라의 물건을 쉽게 살 수 있음.

서로의 문화를 이해하지 못해 문제가 생김.

☑ 세계 여러 나라의 문화를 접할 수 ²(있지만 / 없지만), 우리의 전통문화가 점점 사라지고 있습니다.

정답 ❶ 다양한 ❷ 있지만

🐼 **개념 체크**

○ 정답과 풀이 14쪽

1 교통과 [　][　] 수단의 발달로 세계가 가까워지고 있습니다.

2 외국인 운동선수가 우리나라에서 활동하는 것은 [　][　] 자원의 교류입니다.

3 서로의 문화를 이해하지 못해 문제가 생기는 것은 세계화의 [　][　]적 영향입니다.

보기
• 통신　• 응급
• 물적　• 인적
• 긍정　• 부정

1 다음과 같은 현상이 나타나게 된 까닭은 어느 것입니까? ( )

> 세계 여러 나라들이 다양한 분야에서 교류하고 가까워지는 세계화 현상이 나타나고 있습니다.

① 주차 공간의 부족
② 저작권 침해 발생
③ 초등학생 수의 감소
④ 개인 정보 유출의 증가
⑤ 교통·통신 수단의 발달

2 다음 그림은 어떤 분야에서 세계가 서로 영향을 주고받는 모습인지 보기 에서 찾아 쓰시오.

세계화로 우리 나라에 온 다른 나라 가수의 공연을 볼 수 있어요.

> 보기
> • 정치   • 문화
> • 경제   • 스포츠

( )

3 세계화에 대해 잘못 말하고 있는 어린이를 쓰시오.

> 인혁 : 세계 여러 나라가 점점 멀어지고 있어.
> 보미 : 세계 여러 나라가 물건이나 문화, 인적 자원 등을 교류해.
> 동욱 : 우리가 다른 나라의 영화를 보는 것도 세계화의 영향이야.

( )

4 세계화의 문제점을 해결하기 위해 지녀야 할 태도로 알맞은 것을 보기 에서 찾아 기호를 쓰시오.

> 보기
>
> ㉠ 다른 나라 문화는 존중할 필요가 없습니다.
> ㉡ 무조건 다른 나라 문화만 좋다고 생각합니다.
> ㉢ 우리의 소중한 문화를 잘 지키고 발전시켜야 합니다.

( )

집중 연습 문제 **세계화의 영향**

5 세계화의 긍정적인 영향을 나타내는 그림을 찾아 기호를 쓰시오.

㉠
▲ 다양한 나라의 문화를 접할 수 있음.

㉡
▲ 서로의 문화를 이해하지 못해 문제가 생김.

( )

서로 무역을 하면서 경제를 발전시키는 것도 세계화의 긍정적인 영향 중 하나야.

6번의 ①~⑤는 어떤 사회 변화와 관련이 있는지 각각 써 볼까?

6 세계화의 부정적인 영향으로 알맞은 것은 어느 것입니까? ( )

① 세계 음식 문화 축제가 열린다.
② 스마트폰에 지나치게 의존한다.
③ 우리의 전통문화가 점점 사라지고 있다.
④ 초등학교 입학생이 계속 줄어들고 있다.
⑤ 할아버지와 할머니를 위한 시설이 늘어났다.

- ① ➜ ○○○
- ② ➜ ○○○
- ③ ➜ ○○○
- ④ ➜ ○○○
- ⑤ ➜ ○○○

1 저출산·고령화

① 뜻

저출산	태어나는 아이의 수가 줄어드는 현상
고령화	전체 인구에서 노인이 차지하는 비율이 높아지는 현상

출산율은 지속적으로 줄어들고 노인 인구는 계속해서 늘어나고 있어.

② 저출산 · 고령화로 달라진 일상생활

가족의 구성원 수가 줄어들고 있음.

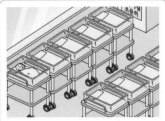

출산을 도와주는 병원이 점점 사라짐.

노인을 위한 전문 시설이 생겨나고 있음.

③ 대비 방법

- 걱정 없이 아이를 낳아 키울 수 있도록 다양한 지원을 해 줍니다.
- 노인들이 사회 활동을 할 수 있도록 지원해야 합니다.
- 세대 간에 서로 소통하고 배려하는 태도를 기릅니다.

2 정보화

정보와 지식을 활용하여 새로운 자료를 만들고, 다른 사람들과 공유하기도 해.

① 뜻 : 사회가 발전해 나가는 데 정보가 중요한 자원이 되어 중심 역할을 담당하는 것

② 정보화로 달라진 일상생활

가게에 직접 가지 않고도 쉽게 물건을 삼.

실시간으로 교통 정보를 얻음.

밖에서도 휴대 전화로 가전제품을 작동함.

③ 문제점

- 악성 댓글과 거짓 소문의 확산
- 개인 정보의 유출
- 저작권 침해 발생
- 인터넷·스마트폰 의존 현상 심화

3 세계화

우리의 소중한 문화는 잘 지키고 발전 시켜야 해.

① 뜻 : 교통과 통신 수단의 발달로 세계 여러 나라들이 다양한 분야에서 교류하고 서로 가까워지는 것

② 세계화로 달라진 일상생활

세계 여러 나라의 물건을 쉽게 살 수 있음.

외국인이 우리나라에서 선수로 활동할 수 있음.

세계 여러 나라의 다양한 문화를 접할 수 있음.

③ 영향

긍정적인 영향	• 다양한 문화를 즐길 수 있음. • 서로 무역을 하면서 경제를 발전시킬 수 있음.
부정적인 영향	다른 나라의 문화를 무분별하게 받아들여 우리의 전통이 사라짐.

4주

하루 뉴스

20△△. △△. △△.

일하는 노인들이 늘어나고 있어요

고령화 현상이 계속됨에 따라 노인들을 위한 일자리 사업도 확대되고 있습니다.

◇◇ 지역에서는 노인 경제 활동 지원을 위해 '노인 일자리 급식 도우미 사업'이 활발하게 운영되고 있습니다. 이 사업으로 노인들은 일할 기회를 얻게 되었고, 학교에는 학생들의 점심식사를 도와주는 사람들이 늘어나게 되었습니다.

고령화라는 사회 변화에 대비하기 위해서는 이렇게 노인들이 사회 활동을 할 수 있도록 지원을 하고, 노인들을 위한 복지 제도 마련이 필요할 것으로 보입니다.

1일 달라진 생활 모습

1 오늘날의 교실 모습에 대한 설명으로 알맞은 것을 보기 에서 찾아 기호를 쓰시오.

보기
ⓐ 텔레비전이 있습니다.
ⓑ 옛날보다 학생 수가 많아졌습니다.
ⓒ 학년당 학급의 수가 늘어나고 있습니다.

(   )

서술형

2 다음 달라진 일상생활 모습을 보고 알 수 있는 사회 변화를 쓰시오.

우리 동네 노인정이 하나 더 생긴대요.

_____

_____

3 세계 여러 나라의 다양한 음식이 전해지면서 먹을 수 있게 된 음식에 모두 ○표를 하시오.

(1)
▲ 샌드위치

(2)
▲ 쌀국수

(3)
▲ 비빔밥

(   ) (   ) (   )

2일 저출산·고령화

4 다음 신문 기사 제목과 관련 있는 사회 변화로 알맞은 것은 어느 것입니까? (   )

> 초등학생 수, 매년 줄어들고 있다.

① 고령화   ② 기계화   ③ 저출산
④ 세계화   ⑤ 지구 온난화

5 고령화로 인해 바뀐 일상생활의 모습으로 알맞은 것은 어느 것입니까? (   )

① 학교의 학생 수가 늘어난다.
② 아이를 돌봐주는 시설이 늘어난다.
③ 출산을 도와주는 병원이 점점 많아진다.
④ 노인을 위한 복지 제도가 마련되고 있다.
⑤ 어린아이를 대상으로 하는 산업이 발달한다.

6 고령화 문제를 대비하기 위한 방법으로 알맞은 것의 기호를 쓰시오.

▲ 다자녀 우대 카드

▲ 노인 무료 예방 접종

(   )

7 저출산·고령화 사회 속에서 살아가는 데 필요한 태도를 알맞게 말한 어린이를 쓰시오.

> 유민 : 세대 간에 서로 소통하고 배려하는 태도가 필요해.
> 영성 : 아직 어른의 도움이 필요한 아이들만 소중히 여기면 돼.

(   )

3일 정보화

8 다음 그림과 관련된 일상생활의 변화로 알맞은 것은 어느 것입니까? (   )

① 실시간으로 교통 정보를 얻는다.

② 어디서나 쉽게 은행 업무를 본다.

③ 가게에 직접 가지 않고도 물건을 산다.

④ 밖에서도 집에 있는 가전제품을 작동시킨다.

⑤ 세계 곳곳에서 일어나는 일을 빠르게 알 수 있다.

빨리 회사에 가야 해.

9 다음과 같은 문제점과 관련된 사회 변화로 알맞은 것은 어느 것입니까? (   )

• 저작권 침해	• 악성 댓글과 거짓 소문의 확산

① 저출산   ② 고령화

③ 세계화   ④ 정보화

⑤ 귀촌 현상

10 정보화 사회의 문제점을 해결하는 방법으로 알맞지 <u>않은</u> 것은 어느 것입니까? (   )

① 개인 정보가 유출되지 않도록 조심한다.

② 휴대 전화로 대화할 때는 예의를 지킨다.

③ 휴대 전화의 사용 시간을 정해 사용한다.

④ 다른 사람의 저작물을 함부로 사용하지 않는다.

⑤ 인터넷상에서는 얼굴이 보이지 않으니 하고 싶은 말을 다 한다.

11 세계화에 대한 설명으로 알맞은 것을 보기 에서 두 가지 찾아 기호를 쓰시오.

> **보기**
> ㉠ 세계화는 긍정적인 영향만을 가져왔습니다.
> ㉡ 세계가 인적 자원이나 물건, 문화 등을 교류합니다.
> ㉢ 세계화로 인해 우리의 전통문화가 사라지기도 합니다.

(,   )

12 세계화의 문제점을 해결하기 위해 지녀야 할 태도로 알맞은 것에 ○표를 하시오.

(1) 우리의 문화를 다른 나라에 강요합니다.   (   )

(2) 다른 나라 문화의 좋은 점을 존중합니다.   (   )

13 다음 일상생활의 변화 모습과 관련 있는 ㉠, ㉡에 들어갈 사회 변화를 쓰세요.

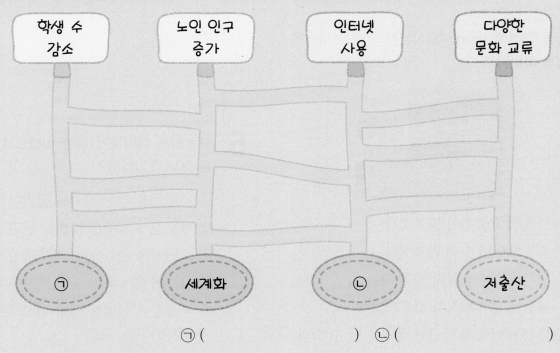

㉠ (   )   ㉡ (   )

1 다음 사진과 관련 있는 일상생활의 변화 모습은 어느 것입니까? (   )

▲ 버스 운행 정보 알림판

① 마을에 외국인이 많아졌다.

② 다른 나라를 쉽게 갈 수 있다.

③ 가족 구성원의 수가 늘어났다.

④ 학교 학급의 수가 줄어들었다.

⑤ 정보를 알려 주는 기계가 늘어났다.

2 다음 그림에 나타난 일상생활의 변화 모습은 어느 것입니까? (   )

① 마을에 요양원이 많아졌다.

② 초등학생의 수가 많아졌다.

③ 인터넷을 이용하여 길을 찾는다.

④ 교실에 텔레비전과 컴퓨터가 있다.

⑤ 다른 나라에서 생산된 물건을 살 수 있다.

3 다음과 관련 있는 사회 현상으로 알맞은 것은 어느 것입니까? (   )

> • 낮은 출산율   • 다자녀 우대 카드

① 저출산   ② 고령화   ③ 세계화

④ 다문화   ⑤ 정보화

4 고령화와 관련 있는 그림을 찾아 기호를 쓰시오.

 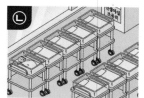

▲ 노인 전문 병원의 증가   ▲ 출산을 도와주는 병원의 감소

(   )

5 고령화를 대비하기 위한 방법으로 알맞은 것은 어느 것입니까? (   )

① 노인들을 위한 시설을 늘린다.

② 출산을 도와주는 병원을 늘린다.

③ 노인들을 위한 복지 제도를 없앤다.

④ 나라에서는 육아 휴직 제도를 마련한다.

⑤ 걱정없이 아이를 낳아 키울 수 있도록 도와준다.

6 정보화로 달라진 일상생활 모습으로 알맞은 것은 어느 것입니까? (   )

① 교환원을 통해 친구와 전화를 한다.

② 물건을 사기 위해 가게에 직접 간다.

③ 휴대 전화로는 전화 통화만 할 수 있다.

④ 인터넷에서 자료를 검색해 숙제를 한다.

⑤ 길을 찾을 때 종이로 된 지도를 이용한다.

7 다음에서 설명하는 정보화 사회의 문제점으로 알맞은 것은 어느 것입니까? (   )

우리나라 청소년 7명 중 1명은 스마트폰에만 매달려 있어 할 일을 제대로 하지 못하고 있습니다.

① 악성 댓글의 확산

② 개인 정보의 유출

③ 저작권 침해 발생

④ 거짓 소문의 확산

⑤ 스마트폰 의존 현상 심화

8 정보화 사회의 문제점을 해결할 수 있는 방안을 알맞게 말한 어린이를 쓰시오.

다른 사람의 개인 정보는 마음대로 퍼뜨려도 돼.

인터넷이나 휴대 전화로 대화할 때도 예의가 필요해.

▲ 준연   ▲ 윤진

(   )

9 다음 □ 안에 들어갈 알맞은 말은 어느 것입니까? (   )

교통·통신 수단이 발달하면서 세계 여러 나라들이 다양한 분야에서 교류하고 가까워지는 것을 □□□라고 합니다.

① 문화   ② 정보화   ③ 다문화

④ 세계화   ⑤ 획일화

10 세계화의 부정적인 영향을 나타내는 그림으로 알맞은 것은 어느 것입니까? (   )

①
▲ 다양한 문화를 접함.

②
▲ 우리의 전통문화가 사라짐.

③
▲ 외국인 선수가 우리나라에서 활동함.

④
▲ 해외 가수의 공연을 우리나라에서 봄.

4주 특강 생활 속 사회

사회 변화로 달라진 사람들의 생활 모습을 알아봅니다.

 ## 우리 주변에서 볼 수 있는 사회 변화 모습

1 다음 그림과 관련된 사회 현상과 그 특징을 알맞게 선으로 연결해 보세요.

저출산

정보화

세계화

밖에서도 쉽게
인터넷으로 정보를
얻을 수 있음.

태어나는 아이가
줄어듦.

여러 나라들이
점점 가까워짐.

사고 쑥쑥

사회 변화와 관련된 용어들을 살펴봅니다.

② 이번 주에 공부한 내용을 기억하며, 다음 십자말풀이를 해 보세요.

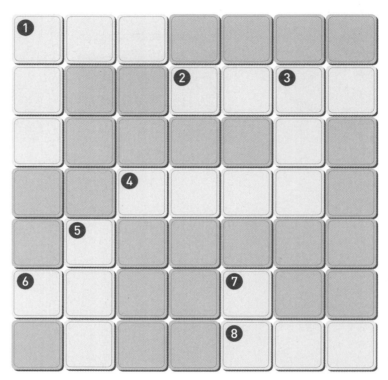

➡가로

❶ 정보화 사회가 되면서 다른 사람의 저작물을 소중하게 생각하지 않는 ○○○ 침해 문제가 발생하고 있습니다.
❷ 개인을 알아볼 수 있는 정보
❹ 한 나라에서 발생하여 전해 내려오는 그 나라 고유의 문화
❻ 사회 변화로 버스 운행 정보 알림판 같이 정보를 알려 주는 ○○가 늘어났습니다.
❽ 정보를 교환할 수 있도록 전 세계의 컴퓨터가 연결된 통신망

⬇세로

❶ 태어나는 아이의 수가 줄어드는 현상
❸ 정보가 산업과 사회 발전의 중심이 되어 가는 것
❺ 세계 여러 나라가 다양한 분야에서 서로 영향을 주고받으며 교류가 많아지는 현상
❼ 전체 인구에서 ○○이 차지하는 비율이 높아지는 현상을 고령화라고 합니다.

세계화의 특징에 대해 알아봅니다.

3 방을 탈출하려면 문 앞에 적힌 설명이 알맞게 쓰여 있는 문을 열어야 해요. 친구들이 몇 번 방의 문을 열어야 하는지 쓰세요.

4 주

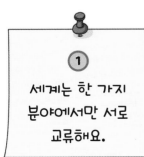

① 세계는 한 가지 분야에서만 서로 교류해요.

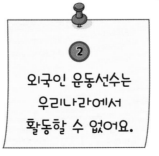

② 외국인 운동선수는 우리나라에서 활동할 수 없어요.

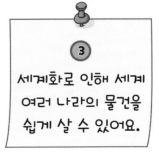

③ 세계화로 인해 세계 여러 나라의 물건을 쉽게 살 수 있어요.

(   )

논리 탄탄

4주 특강 다양한 사회 변화에 대해 알아봅니다.

4 다음과 같은 방법으로 듬이, 도기, 토리가 각자 있는 칸에서 코딩을 시작했을 때 도착한 칸에 있는 사회 변화에 따라 다른 점수를 얻게 돼요. 가장 많은 점수를 얻는 친구의 이름을 쓰세요.

[코딩 명령어]

↓ 아래로 한 칸 이동   ↑ 위로 한 칸 이동

← 왼쪽으로 한 칸 이동   → 오른쪽으로 한 칸 이동

[점수] 도착한 칸에 있는 사회 변화가 저출산과 관련 있으면 10점, 정보화와 관련 있으면 5점, 세계화와 관련 있으면 3점을 얻습니다.

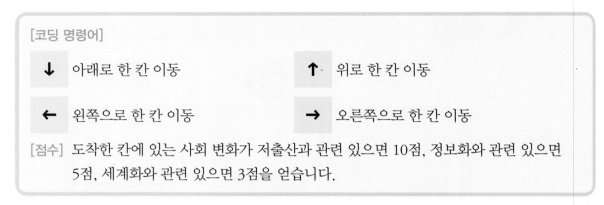

듬이   ↓ → → → → → ↑ → ←

도기   ↓ → ← → ← → ↓ → →

토리   ← → ↑ → → → ↑ → ←

정답

저출산 현상으로 인한 변화에 대비하는 방법을 알아봅니다.

5 다음과 같은 검색어를 입력하고 결과가 '참'이 나왔을 때 ㈎에 들어갈 알맞은 검색 결과를 보기
에서 찾아 기호를 쓰세요.

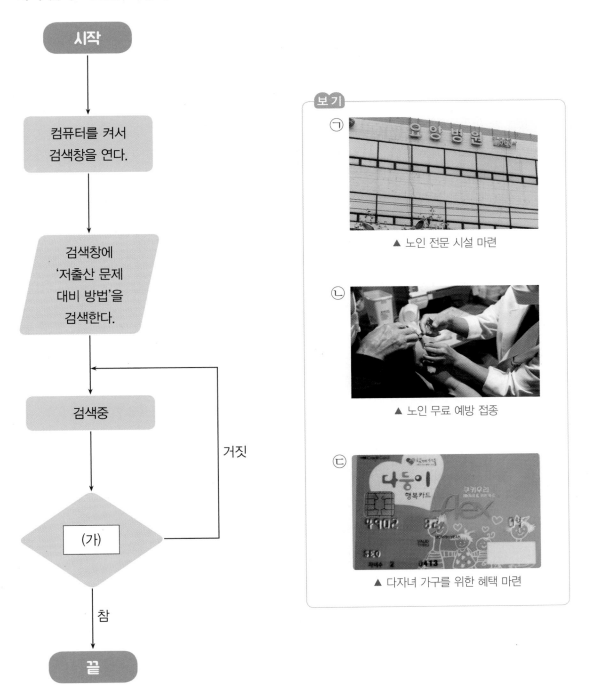

시작

컴퓨터를 켜서
검색창을 연다.

검색창에
'저출산 문제
대비 방법'을
검색한다.

검색중

거짓

㈎

참

끝

보기

㉠

▲ 노인 전문 시설 마련

㉡

▲ 노인 무료 예방 접종

㉢

▲ 다자녀 가구를 위한 혜택 마련

(   )

똑똑한 하루 사회

용어 모음

1~4주 동안 공부한
사회 용어를
ㄱㄴㄷ 순서로 정리했어요!

ㅅ

ㅇ

기초 학습능력 강화 프로그램

똑똑한 하루 시/리/즈

✂ 쉽다!

10분이면 하루치 공부를 마칠 수 있는 커리큘럼으로,
아이들이 초등 학습에 쉽고 재미있게 접근할 수 있도록 구성하였습니다.

🧩 재미있다!

교과서는 물론 생활 속에서 쉽게 접할 수 있는 다양한 소재와
재미있는 게임 형식의 문제로 흥미로운 학습이 가능합니다.

📖 똑똑하다!

초등학생에게 꼭 필요한 학습 지식 습득은 물론
창의력 확장까지 가능한 교재로 올바른 공부습관을 가지는 데 도움을 줍니다.

정답과 풀이

똑똑한
하루
사회

4-2

천재교육

book.chunjae.co.kr

정답과 풀이

1일 촌락의 특징

13쪽 개념 체크

1 농촌　　**2** 임업　　**3** 촌락

14~15쪽 개념 확인하기

1 ②　　**2** ④, ⑤　　**3** ③
4 (1) ⓒ (2) ㄱ　　**5** ④

똑똑한 하루 퀴즈

6

산	차	늘	☆	오
지	농	☆	마	주
촌	업	파	농	☆
☆	훈	유	송	촌
나	바	다	정	☆

❶ 농업　❷ 바다　❸ 산지촌　❹ 농촌

풀이

1 농사짓는 땅을 이용하여 생산 활동을 하는 곳을 농촌이라고 합니다.

2 농촌에서는 농업에 주로 종사하기 때문에 논, 하천, 수로, 비닐하우스 등을 볼 수 있으며 수확한 벼를 찧는 작업을 하는 정미소도 볼 수 있습니다.

3 바다를 이용하여 생산 활동을 하는 곳을 어촌이라고 합니다.

4 삼면이 바다로 둘러싸인 우리나라는 해안을 따라 크고 작은 어촌이 형성되어 있고, 산과 울창한 숲이 어우러진 곳에서는 산지촌을 볼 수 있습니다.

5 농촌, 어촌, 산지촌처럼 자연환경을 주로 이용하여 살아가는 지역을 촌락이라고 합니다. 촌락에서는 날씨에 따라 하는 일이 달라질 수 있어 날씨를 중요하게 여깁니다.

2일 도시의 특징

19쪽 개념 체크

1 도시　　**2** 회사　　**3** 부산

20~21쪽 개념 확인하기

1 ②　　**2** ㄱ　　**3** ⑤　　**4** 노은

집중 연습 문제

5 ㄱ　　**6** ②　　· ⓒ ➡ 여수시
　　　　　　　　　　· ㄹ ➡ 부산광역시

풀이

1 우리나라 사람들 10명 중에 9명 정도의 사람들이 도시에 살고 있습니다.

2 도시에는 많은 사람이 모여 살고 있어서 높은 건물이 많습니다.

(왜 틀렸을까?)
ⓒ 넓은 논밭, ⓒ 비닐하우스는 농촌에서 주로 볼 수 있는 모습입니다.

3 도시에는 많은 사람들이 모여 살고 있어서 인구가 밀집해 있습니다.

4 도시에는 다양한 일자리가 있는데, 주로 공장에서 물건을 만들거나 다양한 서비스를 제공하는 일을 하는 사람들이 많습니다. 자연환경에서 생산물을 얻는 일을 많이 하는 것은 촌락 사람들입니다.

5 도시는 주로 교통이 발달하여 사람과 물건의 이동이 편리한 곳에 위치해 있습니다.

(왜 틀렸을까?)
ㄱ은 서울특별시, ㄴ은 세종특별자치시, ⓒ은 전라남도 여수시, ㄹ은 부산광역시입니다.

6 세종특별자치시는 행정의 중심지로 새롭게 계획하여 만든 도시입니다.

3일 촌락과 도시의 문제 해결

25쪽 개념 체크

1 노인   2 촌락   3 쓰레기

26~27쪽 개념 확인하기

1 촌락   2 세형   3 ①, ②   4 다은

5 ⑤

똑똑한 하루 퀴즈

6 (1) 촌 (2) 촌 (3) 도

풀이

1 그래프를 보면 촌락 전체의 인구는 점점 줄어들고 있습니다. 그러나 고령화 현상으로 촌락에 사는 노인의 인구가 조금씩 늘어나고 있습니다.

2 오늘날 촌락은 값싼 수입 농산물, 일손 부족 등으로 어려움을 겪고 있습니다.

왜 틀렸을까?
• 민우 : 외국에서 값싼 농수산물이 많이 들어오고 있습니다.
• 나래 : 촌락에는 일을 할 수 있는 젊은 사람들이 줄어들고 있습니다.

3 귀촌은 도시에 살던 사람들이 농촌이나 어촌, 산지촌으로 삶의 터전을 옮기는 것을 말합니다. 정부나 지역 사회에서는 귀촌을 적극적으로 지원하고 있습니다.

4 도시에 인구가 많아지면서 쓰레기 문제 등 여러 가지 문제가 발생하고 있습니다.

5 쓰레기 문제를 해결하기 위해 개인, 이웃, 공공 기관이 다양한 노력을 하고 있습니다. 공공 기관은 쓰레기를 분리배출할 수 있는 시설을 만들고 이를 지키지 않을 경우 과태료를 내게 합니다.

6 젊은 사람들은 도시에 사는 것이 촌락에서 사는 것보다 더 편리하기 때문에 촌락에서 살지 않으려고 합니다.

4일 촌락과 도시의 교류

31쪽 개념 체크

1 교류   2 체험   3 직거래

32~33쪽 개념 확인하기

1 예 물건, 문화, 기술   2 ②, ③   3 ②

4 홍연   5 ②

집중 연습 문제

6 ③

7 ㉠
• ㉠ ➡ 예 촌락에서 야영을 하는 모습
• ㉡ ➡ 예 직거래 장터에서 물건을 사는 모습

풀이

1 사람들은 서로 다른 지역을 오고 가면서 다양한 물건을 주고받기도 합니다.

2 지역마다 생산되는 물건, 기술 수준 등이 다르기 때문에 교류가 이루어집니다.

3 최근 촌락에서는 도시 사람들이 촌락 생활을 체험하고, 여가를 즐길 수 있는 체험 마을이 늘어나고 있습니다. 소금 만들기 체험은 어촌에서 할 수 있고, 치즈 만들기 체험은 농촌에서 할 수 있습니다.

4 촌락에서 체험 마을을 운영하면 도시 사람들이 체험비를 내고 참여하므로 촌락의 소득이 늘어납니다.

왜 틀렸을까?
정우, 가현 : 촌락의 체험 마을에서 여가를 즐겁게 보내고 새로운 체험을 할 수 있는 것은 도시 사람들입니다.

5 촌락에서는 관광 산업을 발달시켜 지역의 전통과 문화를 알리고자 노력합니다. 왼쪽 사진은 산천어 축제, 오른쪽 사진은 곶감 축제입니다.

6 도시에 사는 사람들과 촌락에 사는 사람들은 다양한 교류를 하며 살아갑니다.

7 촌락에서 낚시, 등산, 야영을 하며 여가를 보내는 사람이 많습니다.

36~39쪽 마무리하기 문제

1 ③	**2** ①, ②	**3** ②	**4** 신우
5 세윤	**6** 도시	**7** ③	**8** ③
9 다윤	**10** ㉡	**11** ①, ③	**12** ③

13 예 도시 사람들은 싱싱한 농수산물을 싸게 구매할 수 있다.

똑똑한 하루 퀴즈

14 ㉢

풀이

1 농촌에는 논밭에서 식물을 가꾸거나 유용한 동물을 기르는 등 농업에 종사하는 사람들이 많습니다.

2 바다를 이용하여 생산 활동을 하는 곳을 어촌이라고 하고, 산을 이용하여 생산 활동을 하는 곳을 산지촌이라고 합니다.

【 왜 틀렸을까? 】
③, ⑤ 어촌에서 주로 하는 일입니다.
④ 산지촌에서 주로 하는 일입니다.

3 어촌에서는 부두, 등대, 방파제, 어시장, 건조장 등을 볼 수 있습니다.

4 산지촌에 사는 사람들은 산을 이용하여 산에서 나무를 가꾸어 베거나 산나물을 캐는 일 등을 주로 합니다.

【 왜 틀렸을까? 】
• 채현 : 어촌에 대한 설명입니다.
• 동국 : 농촌에 대한 설명입니다.

5 도시는 산업과 소비의 중심이 되는 장소로, 많은 사람들과 건물을 볼 수 있는 곳입니다.

6 도시에서는 높은 건물, 다양한 교통 시설, 상업 시설, 행정 기관 등을 쉽게 볼 수 있습니다.

7 산에서 나물을 캐는 모습은 산지촌에서 주로 볼 수 있습니다.

8 세종특별자치시는 처음부터 계획하여 행정의 중심지로 만들어진 도시입니다.

9 촌락에서는 전체 인구에서 노인이 차지하는 비율이 높아지는 고령화 현상이 나타나고 있습니다.

【 왜 틀렸을까? 】
• 준재 : 촌락의 전체 인구가 줄어들고 있습니다.
• 동후 : 촌락의 어린이 수가 줄어들고 있습니다.

10 촌락에서는 일손이 모자라서 농사짓기가 힘들어지고 있습니다.

11 쓰레기 문제를 해결하기 위해 개인, 이웃, 공공 기관 등이 함께 노력해야 합니다.

12 교류란 단순히 사람들이 오가는 것뿐만 아니라 물건, 문화, 기술 등을 서로 주고받는 것입니다.

13 농수산물 직거래 장터를 통해 도시 사람들은 믿을 수 있는 싱싱한 농수산물을 살 수 있게 되었고, 촌락 사람들은 중간 상인을 거치지 않고 더 비싼 값에 팔 수 있게 되었습니다.

【 인정 답안 】
직거래 장터를 통해 촌락과 도시가 교류했을 때 좋은 점을 알맞게 썼으면 정답으로 인정합니다.

인정 답안의 예
촌락 사람들은 농수산물을 더 비싼 값에 팔 수 있다.

14 도시에서는 크고 작은 도로와 높은 건물 등을 볼 수 있습니다.

1주 | TEST+특강

40~41쪽 누구나 100점 TEST

1 (1) ○	**2** ①, ③	**3** (1) ㉠ (2) ㉡	
4 임업	**5** ㉡, ㉣	**6** ③	**7** 승아
8 일손	**9** ⑤	**10** 교류	

풀이

1 어촌에서는 바다를 이용하여 생산 활동을 하는 사람들이 많습니다.

2 농촌, 어촌, 산지촌처럼 자연환경을 주로 이용하여 살아가는 지역을 촌락이라고 합니다.

3 농촌에서는 농사짓는 땅을 이용하여 생산 활동을 하는 사람이 많고, 산지촌에서는 산을 이용하여 생산 활동을 하는 사람이 많습니다.

4 산지촌에는 임업에 종사하는 사람들이 많습니다.

5 도시에는 인구가 밀집되어 있어 다양한 시설이 발달되어 있습니다.

6 도시에는 사람들이 일하는 회사나 공장이 많습니다.

7 도시는 주로 교통이 발달하여 사람과 물건의 이동이 편리한 곳에 위치해 있습니다.

8 촌락에서는 일을 할 수 있는 사람들이 줄어들면서 어려움을 겪기도 합니다.

9 도시에 인구가 많아지면서 쓰레기 증가 등 여러 가지 문제가 발생하고 있습니다.

10 교류란 단순히 사람들이 오가는 것뿐만 아니라 물건, 문화, 기술 등을 서로 주고받는 것입니다.

43쪽 생활 속 사회 (융합)

❶ 상호 의존

풀이

❶ 촌락과 도시 사람들은 사람과 물건을 교류하면서 서로 의존하고 있습니다.

44~45쪽 사고 쑥쑥 (창의)

❷ (1) 도시

(2) 예 높은 건물, 도로, 시장

❸

일손 부족 문제	소득 감소 문제	시설 부족 문제
품질 좋은 농산물 생산	다양한 기계 이용	편의 시설 확충

▲ 폐교를 활용한 문화 공간 　▲ 다시마를 기계에 넣는 모습 　▲ 킹스베리 생산

풀이

❷ (1) 조사 지역의 모습을 보면 도시의 모습이라는 것을 알 수 있습니다.

(2) 도시는 좁은 땅에 많은 사람이 모여 살고 있는 곳입니다.

❸ 촌락은 도시보다 살기 불편하고 소득이 줄어들어 인구가 줄어들고 있지만 촌락 문제를 해결하기 위한 다양한 노력을 하고 있습니다.

46~47쪽 논리 탄탄 (코딩)

❹ ❻ ❷ ❽

❺

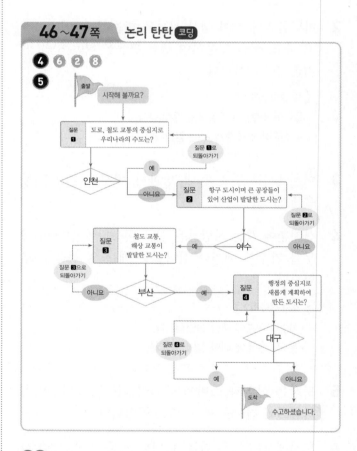

풀이

❹ 촌락은 농촌, 어촌, 산지촌처럼 자연환경을 이용해 살아가는 지역입니다.

❺ 우리나라의 수도는 도로·철도 교통의 중심지인 서울이고, 행정의 중심지로 새롭게 계획하여 만든 도시는 세종특별자치시입니다.

2주 경제 활동과 현명한 선택

1일 선택의 문제

55쪽 개념 체크

1 선택 2 경제 3 희소성

56~57쪽 개념 확인하기

1 ② 2 ㉠ 3 ①, ③ 4 없는
5 ①

똑똑한 하루 퀴즈

6 ㉢

풀이

1 우리는 생활 속에서 크고 작은 선택을 합니다.

2 경제 활동은 사람들이 생활하는 데 필요한 여러 가지 것들을 만들고 사용하는 것과 관련된 모든 활동을 말합니다.

3 선택의 문제는 경제 활동을 하는 모든 사람에게 일어나며, 무엇을 선택하는지는 사람에 따라 다를 수 있습니다.

4 자원의 희소성은 경제 활동을 하는 데 필요한 자원이 사람들의 욕구를 충족할 정도로 많지 않고 그 양이 정해져 있는 것을 말합니다.

5 사람이 쓸 수 있는 돈이나 자원은 한정되어 있으므로 원하는 것을 모두 가질 수 없기 때문에 선택의 문제가 발생합니다.

6 길거리의 모든 돌멩이가 금덩어리라면 사람들은 더 이상 금을 소중하게 여기지 않을 것입니다.

2일 현명한 선택이 필요한 까닭

61쪽 개념 체크

1 낭비 2 현명한 3 선택

62~63쪽 개념 확인하기

1 수경 2 ㉡ 3 ②, ⑤
4 ①

집중 연습 문제

5 ㉠ 6 ㉠

풀이

1 우리는 일상생활에서 많은 선택을 하지만 현명하지 못한 선택을 하는 경우도 많습니다.

2 숙소를 자세히 알아보지 않고 여행을 가면 즐거운 여행을 할 수 없습니다. 숙소를 고를 때 숙소의 청결, 주변 식당, 가격, 거리 등을 모두 고려해야 합니다.

{ 왜 틀렸을까? }
㉠ 가족은 거리만 확인하고 숙소를 선택했습니다.

3 현명한 선택을 하면 자신에게 알맞은 물건을 골라 큰 만족감을 얻을 수 있을 뿐만 아니라 돈과 자원을 절약할 수 있습니다.

4 현명한 선택을 하지 못하면 돈이나 자원을 낭비하고, 후회하게 됩니다.

{ 왜 틀렸을까? }
②~⑤ 현명한 선택을 했을 때 일어날 수 있는 일입니다.

5 현명한 선택을 하기 위해 먼저 관련된 정보를 수집하고 분석해야 합니다.

6 현명한 선택을 하기 위해서는 필요성, 가격, 품질 등을 고려해야 합니다.

3일 생산과 소비의 모습

67쪽 개념 체크

1 소비 2 자연 3 가죽

68~69쪽 개념 확인하기

1 ②   2 다영   3 ④   4 ⑤

집중 연습 문제

5 ①, ④   생활에 필요한 것을 만드는 활동

6 ㉡

풀이

1 빵집 주인이 빵을 만드는 활동, 미용사가 머리를 손질해 주는 활동 등은 생산 활동의 모습입니다.

2 생활에 필요한 물건을 만드는 것은 생산이고, 생산한 것을 쓰는 것은 소비입니다.

왜 틀렸을까?
- 소은 : 우리 생활에 필요한 물건을 만드는 활동은 생산입니다.
- 현철 : 미용실에서 머리 손질을 받는 것은 소비입니다.

3 생산과 소비 활동은 모두 경제 활동이라는 공통점이 있습니다.

4 백화점에서 신발을 사는 것은 소비 활동에 포함됩니다.

5 생활에 필요한 것을 자연에서 직접 얻는 생산 활동에는 벼농사 짓기, 물고기 잡기, 버섯 따기 등이 있습니다.

6 생활을 편리하고 즐겁게 해 주는 활동에는 '물건 팔기'도 있습니다.

왜 틀렸을까?
㉠ 생활에 필요한 것을 만드는 활동에는 책 만들기, 과자 만들기 등이 있습니다.

4일 현명한 소비 생활의 방법

73쪽 개념 체크

1 현명   2 저축   3 광고

74~75쪽 개념 확인하기

1 ③   2 ①   3 ㉢   4 정보

5 ①, ④

똑똑한 하루 퀴즈

6

선	수	✿	정
린	택	인	✿
가	노	터	요
계	✿	넷	나
부	아	저	축

❶ 가계부 ❷ 저축 ❸ 선택 ❹ 인터넷

풀이

1 소비 생활을 현명하게 하지 않으면 필요한 물건을 못 사거나 하고 싶은 일을 못 하게 됩니다.

2 사람들은 예상하지 못한 일을 대비하거나 목돈을 마련하려고 소득의 일부를 저축합니다.

3 용돈을 현명하게 쓰기 위해서 저축을 하고, 군것질 등을 줄일 수 있습니다.

4 현명한 소비 생활을 하기 위해서는 상품의 다양한 정보를 활용하는 것이 중요합니다.

5 매장을 방문하면 물건의 상태를 직접 확인할 수 있다는 좋은 점이 있습니다.

6 ❶은 가계부, ❷는 저축, ❸은 선택, ❹는 인터넷입니다.

5일 2주 마무리하기

78~81쪽 마무리하기 문제

1 ③   2 선택   3 남희   4 ②, ③

5 ⑤   6 ㉣   7 ③, ⑤

8 (1) ㉠, ㉢ (2) ㉡   9 ③

10 예 소비 생활은 현명하게 해야 해.   11 ㉢

똑똑한 하루 퀴즈

12 ㉡

1 부모님뿐만 아니라 어린이도 생활 속에서 경제 활동을 하고 있습니다.

2 경제 활동을 하면서 무엇을 선택하는지는 사람에 따라 다를 수 있습니다.

3 희소성은 사람들이 원하는 마음은 많으나, 그것을 충분히 제공할 수 없는 상태를 말합니다.

> **(왜 틀렸을까?)**
> • 주영 : 희소성은 원하는 것을 모두 가질 수 없는 상태입니다.
> • 연철 : 자원이 한정되어 있기 때문에 희소성의 문제가 나타납니다.

4 제시된 그림의 가족들은 숙소를 자세히 알아보지 않고 여행을 떠나서 즐거운 여행을 하지 못했습니다.

5 현명한 선택을 하면 자신에게 알맞은 물건을 골라 큰 만족감을 얻을 수 있습니다.

6 현명한 선택을 하기 위해서는 필요성, 가격, 품질 등을 미리 꼼꼼하게 따져 보고 자신에게 가장 알맞은 것을 골라야 합니다.

7 생산과 소비는 모두 경제 활동으로, 사람들은 경제 활동을 하면서 선택의 문제를 겪습니다.

8 생산은 생활에 필요한 물건을 만들거나 사람들이 필요한 것을 제공하는 것이고, 소비는 생산한 물건을 사는 것, 서비스를 이용하는 것 등이 모두 포함됩니다.

> **(왜 틀렸을까?)**
> ㉠ 고기를 파는 것은 생활을 편리하고 즐겁게 해 주는 활동입니다.
> ㉢ 딸기는 수확하는 것은 생활에 필요한 것을 자연에서 얻는 활동입니다.

9 신발이 우리 손에 오기까지 여러 가지 생산 활동이 이루어집니다.

10 소득은 한정되어 있으므로 소비 생활을 현명하게 하지 않으면 필요한 물건을 못 사거나 하고 싶은 일을 못 하게 됩니다.

> **(인정 답안)**
> 용돈을 다 써 버린 지우에게 충고할 말을 알맞게 썼으면 정답으로 인정합니다.
>
> **인정 답안의 예**
> 돈은 사용 계획을 세우고 써야 해.

11 상점을 방문하면 판매원에게 궁금한 점을 물어볼 수 있으며 물건을 직접 비교할 수 있습니다.

12 생활에서 필요한 것을 자연에서 얻는 활동은 벼농사 짓기, 물고기 잡기, 버섯 따기, 과일 수확하기 등이 있습니다.

> **(왜 틀렸을까?)**
> ㉠은 시장에서 물건을 파는 모습으로, 생활을 편리하고 즐겁게 해 주는 생산 활동입니다.

2주 | TEST + 특강

82~83쪽	누구나 100점 TEST

1 아진　　**2** ④　　**3** ㉠　　**4** (2) ○
5 ①, ②　　**6** ㉠　　**7** (1) ㉠ (2) ㉢
8 ㉠　　**9** ④　　**10** ⑤

1 선택의 문제는 경제 활동을 하는 모든 사람에게 일어나며, 무엇을 선택하는지는 사람에 따라 다를 수 있습니다.

2 사람이 쓸 수 있는 돈이나 자원은 한정되어 있으므로 원하는 것을 모두 가질 수는 없기 때문에 선택의 문제를 겪습니다.

3 세상의 모든 사람들이 부자라면 일하는 시간을 줄이고 행복한 삶을 즐기려는 사람이 늘어날 것입니다.

4 여행지에서 숙소를 선택할 때에도 가격, 시설 등 여러 가지를 고려해서 골라야 합니다.

> **(왜 틀렸을까?)**
> (1) 거리만 보고 숙소를 고르면 가격, 시설 등에 만족을 하지 못할 수 있습니다.

5 선택을 할 때에는 선택으로 내가 얻을 수 있는 편리함이나 즐거움은 어떤 것들이 있는지 고려해야 합니다.

6 현명한 선택을 하는 과정을 직접 경험해 보며 올바르게 소비하는 태도를 지닐 수 있습니다.

7 빵집 주인이 빵을 만들고, 카페 주인이 음료를 만드는 것은 생산입니다. 빵집에서 빵을 사 먹고, 카페에서 음료를 사 먹는 것은 소비입니다.

8 자동차를 만들고, 책을 만드는 것 등은 모두 생활에 필요한 것을 만드는 활동입니다.

> **(왜 틀렸을까?)**
> ㉡ 공연하기, 환자 진료하기 등이 있습니다.
> ㉢ 벼농사 짓기, 물고기 잡기 등이 있습니다.

9 현명한 소비 생활을 하기 위해서 사려는 물건의 가격과 정보를 확인해야 합니다.

10 상품을 사용한 주변 사람들에게 물어보면 가격, 품질, 상품의 장단점을 자세히 알 수 있습니다.

85쪽 생활 속 사회 융합

풀이

❶ 농사짓기, 고기 잡기 등 생활에 필요한 것을 자연에서 얻는 활동은 주로 촌락에서 이루어집니다.

86~87쪽 사고 쑥쑥 창의

❷ 빗자루

❸
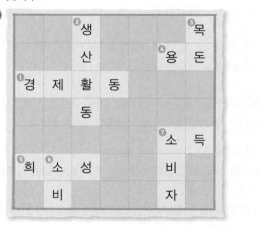

풀이

❷ 사람마다 기준이 다르기 때문에 친구들은 서로 다른 주스를 선택할 것입니다.

❸ 소비와 생산은 모두 경제 활동에 포함됩니다.

88~89쪽 논리 탄탄 코딩

❹ 선택

❺

음료수를 사 먹음.	공연을 보러 감.	벼농사를 지음.	배추를 삼.	과자를 사 먹음.
신발을 삼.	물고기를 양식함.	떡볶이를 사 먹음.	자동차를 만듦.	책을 사서 읽음.
버섯을 키움.	버스를 탐.	공책을 삼.	택시를 탐.	책을 팖.
책가방을 삼.	머리를 다듬고 파마를 함.	빵을 만들어서 팖.	빵을 삼.	병원에서 진료를 받음.
환자를 진료함.	악기를 연주하며 공연을 함.	옷을 만들어서 팖.	장난감을 만듦.	미용사가 머리를 손질해 줌.

> 그중에서 생산 활동에 해당하는 칸을 모두 색칠하면 글자 '소' 이/가 나와.

풀이

❺ 우리 주변에서 볼 수 있는 경제 활동의 모습을 물건을 파는 활동과 사는 활동으로 나눌 수 있습니다.

1일 경제적 교류

97쪽 개념 체크

1 전시회   2 화합   3 정보

98~99쪽 개념 확인하기

1 ②   2 ⓛ   3 (2) ○   4 ①
5 원산지

똑똑한 하루 퀴즈

6 자원

풀이

1 경제적 교류는 경제적 이익을 높이기 위한 것입니다. 경제적 교류를 하면 이익을 얻을 수 있고 지역을 발전시킬 수 있습니다.

2 재준이가 사는 지역은 질 좋은 포도를 생산하고, 영희가 사는 지역에서는 포도를 이용해 다양한 상품을 만들어 팝니다. 두 지역은 경제적 교류를 함으로써 서로 경제적 이익을 높이고 있습니다.

3 개인, 지역, 국가 간의 경제적 교류는 사는 곳의 자연환경과 생산 기술, 자원 등이 다르기 때문에 발생합니다.

4 직거래 장터는 생산지와 소비자가 직접 거래하는 시장으로, 지역의 특산물을 소개하거나 지역을 홍보해 경제적 이익을 얻을 수 있습니다.

5 대형 할인점의 광고지를 확인하거나, 상품의 QR 코드를 스캔하면 우리 주변의 상품이 어디에서 왔는지 알 수 있습니다. 이외에도 상품의 생산지(원산지)를 확인하는 방법에는 상품 정보 확인하기, 품질 인증 표시 확인하기, 누리집에서 상품 소개 검색하기, 통계 자료 분석하기 등이 있습니다.

6 지역마다 환경이 다르기 때문에 경제적 교류가 발생합니다.

2일 경제적 교류의 방법

103쪽 개념 체크

1 있습니다   2 문화   3 제주도

104~105쪽 개념 확인하기

1 ④   2 ⓒ   3 ①   4 석규

집중 연습 문제

5 ⓛ   6 ④   예 감귤

풀이

1 경제적 교류를 하는 대상은 개인, 기업, 지역, 국가 등 다양합니다.

2 대중 매체를 이용하여 경제적 교류를 하면 장소나 시간에 관계없이 물건을 쉽고 편리하게 사고팔 수 있습니다.

(왜 틀렸을까?)

ⓒ 전통 시장을 이용하는 것은 대형 시장을 이용한 경제적 교류 방법입니다.

3 교통과 통신 수단의 발달로 각 지역에서 다양한 물건이 오가고 있습니다. 옛날에는 주로 시장에서 경제적 교류를 활발히 했으나, 오늘날에는 다양한 장소에서 여러 가지 방법으로 경제적 교류를 하고 있습니다.

4 대형 시장을 이용하여 경제적 교류를 하면 상품을 직접 확인하고 살 수 있습니다. 대중 매체를 이용하여 상품을 구입했을 때 광고 상품과 실제 상품이 다른 경우가 생길 수 있습니다.

5 지역의 대표 상품을 나타낸 지도를 보면 지역마다 다양한 대표 상품들이 있음을 알 수 있습니다.

6 제주도는 옥돔, 감귤, 한라봉, 오메기떡 등이 유명합니다.

(왜 틀렸을까?)

①은 인제, ②는 횡성, ③은 익산, ⑤는 수원의 대표 상품입니다.

3일 다양한 문화와 편견과 차별

109쪽 개념 체크

1 다릅니다 **2** 사람 **3** 차별

110~111쪽 개념 확인하기

1 두리 **2** ④ **3** ㉠ **4** ③

집중 연습 문제

5 ⑤ **6** 남녀 장애

풀이

1 음식을 먹는 모습은 다양한 문화의 모습 중 하나로, 지역마다 음식을 먹을 때 사용하는 도구와 먹는 음식이 다릅니다.

2 친구들과 함께 놀거나 운동을 하고 좋아하는 음식을 먹는 일 등은 모두 문화라고 부를 수 있습니다.

{ 왜 틀렸을까? }
① 집의 모양과 집을 만든 재료 등은 모두 문화에 해당합니다.
② 음식을 먹는 방법도 문화에 속합니다.
③ 하나의 지역에서도 다양한 문화의 모습을 볼 수 있습니다.
⑤ 더운 지역과 추운 지역의 사람들은 다른 옷차림을 하고 있습니다.

3 추운 지역에서 두꺼운 털옷을 입는 것은 우리 주변에서 볼 수 있는 다양한 문화의 모습 중 하나입니다.

4 우리 주변에는 여러 편견과 차별이 존재합니다. 편견과 차별이 지속된다면 사회 분위기가 나빠지고, 사회의 발전이 늦어질 수 있습니다.

5 차별은 둘 이상의 대상을 차이를 두어 구별하는 것을 말합니다. 일상생활에서 나타나는 차별에는 종교, 남녀, 나이, 장애 등에 대한 차별이 있습니다.

6 차별을 받아 취직이 되지 않는다면 사람들은 자신의 능력을 발휘하지 못할 것입니다.

4일 편견과 차별의 해결

115쪽 개념 체크

1 편견 **2** 존중 **3** 살구

116~117쪽 개념 확인하기

1 ㉠ **2** ④ **3** ① **4** ㉡

집중 연습 문제

5 희원 **6** ①

풀이

1 '여학생은 축구를 못한다.', '남학생은 축구를 좋아한다.' 등의 생각은 모두 편견에 해당합니다. 일기 속 지민이는 자신의 축구 실력을 무시하는 친구 때문에 화가 났을 것입니다.

2 편견을 갖고 차별을 하면 우리 모두에게 좋지 않습니다. 남녀를 떠나 자기가 원하는 종목에서 활동하는 것이 '학급 체육의 날'에 어울리는 것임을 알려 주면 지민이네 반에서 서로에 대한 편견이나 차별 없이 지낼 수 있을 것입니다.

3 학급 규칙은 친구 모두를 위한 규칙이어야 하고, 우리 반 친구들이 지킬 수 있는 내용이어야 하며, 서로를 이해하고 존중하는 것을 바탕으로 하는 규칙이어야 합니다.

4 학급 규칙을 정할 때에는 남녀 구분 없이 모두의 의견을 존중해야 합니다.

5 서로 존중하는 세상을 위한 사회의 노력으로는 법과 기관을 만들고, 다양한 문화를 가진 사람들이 어울릴 수 있는 자리를 마련하고, 알맞은 교육을 제공하거나, 편견과 차별의 뜻이 담긴 말을 바꾸는 것 등이 있습니다. 편견과 차별이 없는 세상을 위한 사회의 노력과 사람들의 노력이 합쳐질 때 더 큰 효과를 낼 수 있습니다.

6 사람의 피부색은 다양하기 때문에 살색을 살구색으로 바꾸어 부르기로 했습니다.

120~123쪽 마무리하기 문제

1 ②   2 다르기   3 ②   4 ㉢
5 ④   6 박람회   7 옷차림   8 ②
9 ①   10 (2) ○   11 ⑩ 법을 만들고 기관을 세워 편견과 차별을 없애려고 노력한다.

똑똑한 하루 퀴즈

12

문	편	리	🐻	교
화	🐻	견	직	류
시	대	중	매	체
다	양	성	차	🐰
🐵	기	업	익	별

❶ 문화 ❷ 차별 ❸ 대중 매체

풀이

1 두 지역은 경제적 교류를 통해 경제적 이익을 높이고 있습니다.

2 다양한 경제적 교류로 각 지역들은 서로 좋은 영향을 미칠 수 있습니다.

3 상품의 QR 코드를 통해 주변 상품의 생산지(원산지)를 조사할 수 있습니다.

4 경제적 교류를 하는 대상은 개인, 기업, 지역, 국가 등 다양합니다.

5 오늘날에는 교통과 통신의 발달로 다양한 장소에서 여러 가지 방법으로 경제적 교류를 합니다. 경제적 교류는 문화 활동과 함께 더욱 활발히 이루어지기도 합니다.

6 박람회는 지역의 대표 상품을 다른 지역에 홍보하기 위해 열립니다.

7 각 나라의 옷차림, 음식을 먹는 방법 등을 살펴보면 각 문화의 공통점과 차이점을 찾을 수 있습니다.

8 추운 지역과 더운 지역은 날씨가 다르기 때문에 입는 옷도 다릅니다.

9 차별의 원인이 되는 편견은 우리 주변에서도 많이 찾아볼 수 있습니다.

10 학급 회의에서 정할 규칙의 조건은 친구 모두를 위한 규칙이어야 합니다.

11 우리 사회는 편견과 차별이 없는 세상을 만들려고 다양한 노력을 하고 있습니다.

인정 답안

제시된 자료와 관련지어 편견과 차별 없는 세상을 위한 사회적 노력을 알맞게 썼으면 정답으로 인정합니다.

인정 답안의 예

다양한 문화를 가진 사람들을 위한 기관을 세운다.

12 대중 매체는 경제적 교류의 방법 중 하나로 이용되고 있습니다.

3주 | TEST+특강

124~125쪽 누구나 100점 TEST

1 경제적   2 예주   3 ④   4 ④
5 감귤, 한라봉   6 재혁   7 (1) ㉡ (2) ㉠
8 ③   9 ①, ④   10 살구색

풀이

1 경제적 교류란 경제적 이익을 얻고자 다양하게 교류하는 것입니다.

2 경제적 교류는 사는 곳의 자연환경과 생산 기술, 자원 등이 다르기 때문에 발생합니다.

3 품질 인증 표시, 상품 정보, QR 코드 등을 통해 상품의 생산지(원산지)를 조사할 수 있습니다.

4 대형 시장에서는 신선하고 질이 좋은 상품을 직접 확인해 살 수 있습니다.

5 제주도 홍보관에서는 오메기떡, 감귤, 한라봉 등을 홍보하고 시식하는 모습을 볼 수 있습니다.

6 일상생활에서 문화의 모습은 다양하게 나타나고 있습니다.

7 편견 때문에 차별이 나타납니다.

8 피부색이 어두운 외국인에게는 길을 알려 주지 않고 있습니다.

9 '여학생은 축구를 못한다.' '남학생은 축구를 좋아 한다.' 등의 생각은 모두 편견에 해당합니다.

10 편견과 차별의 뜻이 담긴 '살색'이라는 말을 '살구 색'이라고 바꾸어 부르게 되었습니다.

127쪽 생활 속 사회 융합

1 (1) ㄷ (2) ㄹ (3) ㄴ (4) ㄱ

풀이

1 제주도는 감귤, 전라북도는 비빔밥, 강원도는 한 우, 대구광역시는 섬유 등이 유명합니다.

128~129쪽 사고 쑥쑥 창의

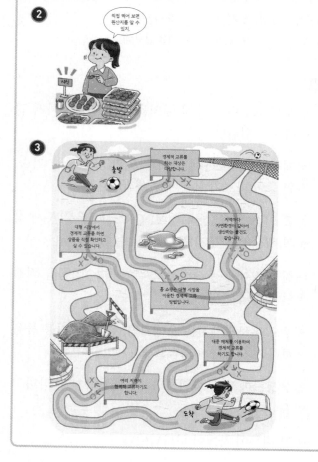

풀이

2 상품의 생산지(원산지)는 상품 정보 확인, 품질 인 증 표시 확인, 대형 할인점의 광고지 확인 등을 통 해 알 수 있습니다. 이외에도 누리집에서 상품 소 개를 검색해 보거나, 통계 자료를 분석하는 방법 등도 있습니다.

3 지역마다 자연환경이 다르기 때문에 다른 물건을 생산하고 있습니다. 홈 쇼핑은 대중 매체를 이용한 경제적 교류 방법입니다.

130~131쪽 논리 탄탄 코딩

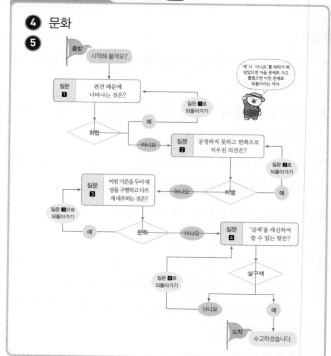

풀이

4 문화는 인간들이 만들어 낸 언어, 의상, 전통과 같 은 생활 양식입니다. 의식주 생활뿐만 아니라 친구 들과 함께 놀거나 운동을 하고 좋아하는 음식을 먹 는 일 등을 '문화'라고 부를 수 있습니다.

5 어떤 기준을 두어 대상을 구별하고 다르게 대하는 것은 차별로, 편견 때문에 차별이 나타납니다.

사회 변화와 우리 생활

2일 저출산·고령화

개념 체크

1 노인　　　**2** 병원　　　**3** 저출산

1일 달라진 생활 모습

개념 체크

1 기계　　　**2** 적어　　　**3** 노인

개념 확인하기

1 (2) ○　　　**2** ②　　　**3** 현동　　　**4** ③

5 ㉢

똑똑한 하루 퀴즈

6 인터넷

풀이

1 옛날에는 교실에 학생이 많았고, 텔레비전이나 컴퓨터가 없었습니다.

2 오늘날에는 노인들이 많아져 노인정, 요양원, 노인 전문 병원 같은 노인을 위한 시설이 생기고 있습니다.

3 오늘날에는 학생 수가 줄어들고 학년당 학급의 수도 줄어들고 있습니다.

4 사회 변화로 다른 나라의 문화를 쉽게 접할 수 있게 되었습니다.

【 왜 틀렸을까? 】
① 인터넷의 사용이 늘어났습니다.
② 태어나는 아이의 수가 줄어들었습니다.
④ 오늘날의 교실에는 텔레비전이나 컴퓨터가 있습니다.
⑤ 노인 인구가 많아지고 노인정 등 노인 전문 시설이 많아졌습니다.

5 생활 곳곳에서 인터넷을 사용하며 다양한 정보를 쉽게 얻을 수 있습니다.

6 인터넷의 발달로 우리 주변에 정보를 알려 주는 기계가 늘어났고, 밖에서도 다양한 정보를 쉽게 알 수 있게 되었습니다.

개념 확인하기

1 ㉡　　　**2** ③　　　**3** 고령화　　　**4** ㉢

집중 연습 문제

5 ㉡　　고령화　　　**6** ④

풀이

1 제시된 그래프는 저출산·고령화 현상과 관련된 그래프입니다. 그래프를 보면 14세 이하 인구는 점점 줄어들고 있고, 65세 이상 인구는 점점 증가하고 있습니다.

2 우리나라에서는 노인 인구가 차지하는 비율이 점점 높아지고 있습니다.

3 오늘날 고령화 현상은 점점 심해지고 있기 때문에 그에 대한 대비가 필요합니다. 지금도 고령화를 대비하기 위해 노인을 위한 전문 시설이 늘어나고 있고, 노인을 대상으로 하는 여러 가지 산업이 발달하고 있습니다.

4 저출산·고령화 사회에 대비하려면 세대 간에 서로 소통하고 배려하는 태도를 길러야 합니다. 또한 다양한 지원을 해 주고, 복지 제도를 마련해야 합니다.

5 다자녀 우대 카드는 저출산을 대비하기 위한 방법 중 하나입니다. 이외에도 저출산을 대비할 수 있는 방법에는 아이를 안전하게 키울 수 있는 시설과 서비스 마련하기, 육아 휴직, 교육비 지원 등의 제도를 마련하기 등이 있습니다.

6 다자녀 우대 카드는 자녀를 여러 명 둔 가정에 다양한 혜택을 주어 가정 살림에 도움을 줄 수 있는 카드입니다.

3일 정보화

151쪽 개념 체크

1 편리 　　**2** 의존 　　**3** 예의

152~153쪽 개념 확인하기

1 (2) ○ (3) ○ 　　　　**2** ④ 　　**3** 선희
4 ① 　　　　**5** ㉡

똑똑한 하루 퀴즈

6

개인 정보 보호 / 거짓 소문 감소 / 인터넷 사용 시간 감소 / 저작권 침해 발생

풀이

1 정보화는 사회가 발전해 나가는 데 정보가 중요한 자원이 되어 중심 역할을 담당하는 것으로, 사람들의 생활이 더욱 편리해지고 다양하게 변화하고 있습니다.

2 정보화로 인해 가게에 직접 가지 않아도 쉽게 물건을 살 수 있습니다.

3 오늘날에는 휴대 전화로 어디서나 은행 업무를 쉽게 볼 수 있고, 밖에서도 집에 있는 가전제품을 작동할 수 있습니다.

4 정보화 사회에서는 다른 사람의 저작물을 소중하게 생각해야 합니다.

5 인터넷·스마트폰 의존 현상을 해결하기 위해 인터넷과 휴대 전화의 사용 시간을 정해서 사용합니다. 정보화 사회에서는 자신의 잘못된 행동이 타인에게 심각한 피해를 줄 수 있다는 것을 알고 바르게 행동하는 태도가 필요합니다.

6 정보화 사회가 되면서 우리는 필요한 정보를 쉽고 빠르게 얻을 수 있게 되었지만 저작권 침해, 개인 정보 유출, 악성 댓글과 거짓 소문의 확산 등 여러 가지 문제도 발생하게 되었습니다.

4일 세계화

157쪽 개념 체크

1 통신 　　**2** 인적 　　**3** 부정

158~159쪽 개념 확인하기

1 ⑤ 　　**2** 문화 　　**3** 인혁 　　**4** ㉢

집중 연습 문제

5 ㉠ 　　　　**6** ③

- ① ➡ 세계화
- ② ➡ 정보화
- ③ ➡ 세계화
- ④ ➡ 저출산
- ⑤ ➡ 고령화

풀이

1 세계화란 교통·통신 수단이 발달하면서 세계 여러 나라들이 다양한 분야에서 교류하는 것을 말합니다.

2 우리나라는 다른 나라와 인적 자원, 물적 자원, 문화 등 다양한 분야에서 서로 영향을 주고받고 있습니다. 해외 가수의 공연을 우리나라에서 볼 수 있는 것은 문화 교류의 영향입니다.

3 세계화로 인해 세계 여러 나라는 더욱 가까워졌습니다. 전 세계가 긴밀하게 연결됨으로 인해 한 나라에서 생기는 문제가 세계 전체의 문제가 될 수도 있습니다.

4 세계화 사회에서는 다른 나라 문화의 좋은 점을 본받고 존중하는 태도를 가지고, 우리의 소중한 문화는 잘 지키고 발전시켜 나가야 합니다.

5 세계화로 인해 다양한 나라의 문화를 쉽게 접할 수 있게 되었습니다.

6 세계화를 통해 다른 나라의 문화를 무분별하게 받아들여서 우리의 전통이 사라지고 있습니다.

1 ㉠　　**2** 예 노인이 많아지고 있다.
3 (1) ○　(2) ○　　**4** ③　　**5** ④
6 ㉡　　**7** 유민　　**8** ①　　**9** ④
10 ⑤　　**11** ㉡, ㉢　　**12** (2) ○

똑똑한 하루 퀴즈 --------------------

13 ㉠ 예 정보화　㉡ 예 고령화

풀이

1 오늘날에는 교실에 텔레비전이나 컴퓨터가 있습니다. 또한 옛날보다 학생 수가 줄어들었으며 학년당 학급의 수도 줄어들었습니다.

2 노인 인구가 증가하면서 노인을 위한 시설이 늘어나고 있습니다.

> **인정 답안**
> 노인 전문 시설의 증가와 관련된 사회 변화를 알맞게 썼으면 정답으로 인정합니다.
>
> **인정 답안의 예**
> 노인 인구가 늘어나고 있다.

3 세계 여러 나라의 음식이 전해지면서 다양한 나라의 음식을 파는 가게가 많이 생겼습니다.

4 태어나는 아이의 수가 줄어들고 있기 때문에 학교의 모습도 변화하고 있습니다.

5 사회가 고령화로 변화함에 따라 복지 분야에서도 변화가 일어나고 있습니다.

6 고령화 사회에 대비하려면 노인들을 위한 다양한 복지 제도가 필요합니다.

7 우리는 세대 간에 서로 소통하고 배려하는 태도를 길러야 합니다.

8 정보화로 인해 실시간으로 교통 정보를 얻어 목적지까지 빠르게 갈 수 있습니다.

9 정보화로 생활이 편리해졌지만, 여러 가지 문제점이 나타납니다.

10 인터넷이나 휴대 전화로 대화할 때도 예의를 지켜야 합니다.

11 세계화는 우리 생활에 긍정적인 영향을 미치기도 하지만, 부정적인 영향을 미칠 때도 있습니다.

12 다른 나라 문화의 좋은 점을 본받고 존중하며, 우리의 소중한 문화는 잘 지키고 발전시켜야 합니다.

13 정보화로 인해 인터넷으로 다양한 정보를 얻을 수 있고, 고령화로 인해 노인 인구가 증가했습니다.

4주 | TEST+특강

1 ⑤　　**2** ⑤　　**3** ①　　**4** ㉠
5 ①　　**6** ④　　**7** ⑤　　**8** 윤진
9 ④　　**10** ②

풀이

1 밖에서도 쉽게 인터넷으로 정보를 얻을 수 있게 되면서 정보를 알려 주는 기계가 늘어났습니다.

2 다른 나라와 활발하게 교류하면서 다른 나라의 음식과 물건을 쉽게 접할 수 있게 되었습니다.

3 저출산은 태어나는 아이의 수가 줄어드는 현상입니다.

4 고령화 현상으로 노인을 위한 전문 시설이 생겨나고 여러 가지 복지 제도가 마련되고 있습니다.

> **왜 틀렸을까?**
> ㉡은 저출산 현상과 관련 있는 그림입니다. 저출산으로 인해 출산을 도와주는 병원이 점점 사라지고 있습니다.

5 노인들이 행복하고 건강하게 살아갈 수 있도록 하는 제도와 시설들이 마련되고 있습니다.

6 정보화가 활발하게 이루어지면서 사람들의 생활이 더욱 편리해졌습니다.

7 정보화 사회가 되면서 생활이 빠르고 편리해졌지만 여러 가지 문제가 생겨났습니다.

8 정보화 사회에서는 개인 정보가 유출되지 않도록 조심해야 하며, 다른 사람의 정보도 소중히 여겨야 합니다.

9 세계화는 우리의 생활 모습을 다양하게 변화시키고 있습니다. 우리는 세계화로 인해 다른 나라의 물건을 쉽게 구입할 수 있으며, 우리나라에 온 다른 나라 가수의 공연을 볼 수 있습니다.

10 세계화로 인한 문제점을 해결하기 위해선 다른 문화의 좋은 점을 본받고 우리 문화를 소중하게 생각해야 합니다.

169쪽 생활 속 사회 융합

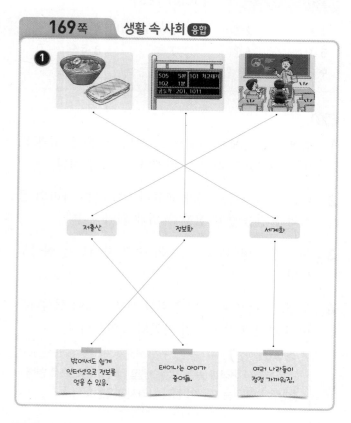

풀이

1 사회가 변화하면서 사람들의 일상생활 모습이 달라지게 되었습니다. 저출산으로 인해 학교의 학생 수가 줄어들게 되었고, 정보화로 인해 우리 주변에 정보를 알려주는 기계가 많이 생겼습니다. 또한 세계화의 영향으로 다른 나라의 음식을 쉽게 접할 수 있게 되었습니다.

170~171쪽 사고 쑥쑥 창의

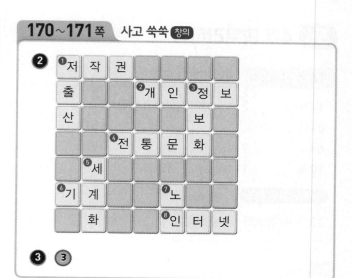

3 ③

풀이

2 사회 변화로 인해 우리 주변에도 다양한 변화들이 일어나고 있습니다.

3 교통·통신 수단이 발달하면서 세계 여러 나라들이 다양한 분야에서 교류하고 가까워지게 되었습니다. 외국인 선수가 우리나라에서 활동하는 것, 다른 나라의 물건을 쉽게 살 수 있는 것 등은 모두 세계화의 영향입니다.

172~173쪽 논리 탄탄 코딩

4 토리

5 ⓒ

풀이

4 다른 나라의 물건 구입은 세계화, 스마트폰 의존 현상은 정보화, 출산율 감소는 저출산과 관련된 사회 변화입니다. 따라서 듬이가 3점, 도기는 5점, 토리가 10점을 얻게 됩니다.

5 저출산 문제를 대비하기 위해서는 아이를 키우는 데 도움이 되는 제도, 다자녀를 위한 제도 등이 필요합니다. 노인 전문 시설을 마련하는 것과 노인 무료 예방 접종 등 노인을 위한 복지 제도를 마련하는 것은 고령화 문제를 대비하기 위한 방법입니다.

정답은
이안에
있어!

기초 학습능력 강화 프로그램

매일 조금씩 공부력 UP!

하루 독해　　하루 어휘　　하루 글쓰기　　하루 VOCA

하루 수학　　하루 계산　　하루 도형　　하루 사고력

하루 사회　　하루 과학

과목	교재 구성	과목	교재 구성
하루 수학	1~6학년 1·2학기 12권	하루 사고력	1~6학년 A·B단계 12권
하루 VOCA	3~6학년 A·B단계 8권	하루 글쓰기	예비초~6학년 A·B단계 14권
하루 사회	3~6학년 1·2학기 8권	하루 한자	1~6학년 A·B단계 12권
하루 과학	3~6학년 1·2학기 8권	하루 어휘	1~6단계 6권
하루 도형	1~6단계 6권	하루 독해	예비초~6학년 A·B단계 12권
하루 계산	1~6학년 A·B단계 12권		

※ 각 교재별 출간 시기는 조금씩 다르며, 일부 교재는 순차적으로 출시될 예정입니다.

배움으로 행복한 내일을 꿈꾸는
천재교육 커뮤니티 안내 . . .

 교재 안내부터 구매까지 한 번에!
천재교육 홈페이지

천재교육 홈페이지에서는 자사가 발행하는 참고서,
교과서에 대한 소개는 물론 도서 구매도 할 수 있습니다.
회원에게 지급되는 별을 모아 다양한 상품 응모에도
도전해 보세요.

 구독, 좋아요는 필수! 핵유용 정보 가득한
천재교육 유튜브 <천재TV>

신간에 대한 자세한 정보가 궁금하세요?
참고서를 어떻게 활용해야 할지 고민인가요?
공부 외 다양한 고민을 해결해 줄 채널이 필요한가요?
학생들에게 꼭 필요한 콘텐츠로 가득한 천재TV로 놀러 오세요!

 다양한 교육 꿀팁에 깜짝 이벤트는 덤!
천재교육 인스타그램

천재교육의 새롭고 중요한 소식을 가장 먼저 접하고 싶다면?
천재교육 인스타그램 팔로우가 필수!
누구보다 빠르고 재미있게 천재교육의 소식을 전달합니다.
깜짝 이벤트도 수시로 진행되니 놓치지 마세요!